中田信正 『新訂・税務会計要論（第3版）』 平成30年度追録

平成30年度追録は，平成29年度税制改正の内容を，『新訂・税務会計要論（第3版）』で解説されている項目と対比できるように，示したものである。改正内容を頁数順に取り上げ，「改正の要点」と【修正】の内容につき説明を行っている。さらに，「**平成30年度税制改正の大綱**」のうち，法人税に関連する主要事項を一部抜粋・要約して，掲載している。

【平成29年度税制改正項目】

第16章・第4節・3　試験研究を行った場合の法人税額の特別控除
「改正の要点」試験研究費の総額に係る税額控除割合の変更
【修正】　158ページ　2行目から16行目までを以下に差し替える。
　試験研究費の増減割合に応じた次の税額控除率（10%を上限とする）が適用される。
　　イ　増減割合が5%超　9%＋（増減割合－5%）×0.3　　上限10%
　　ロ　増減割合が5%以下　9%－（5%－増減割合）×0.1　下限6%
　平成29年4月1日から平成31年3月31日までの間に開始する各事業年度における上限は，10%を14%とされる。（措法42の4①②）

第17章・第1節・2②　申告期限の延長
「改正の要点」提出期限延長の見直し
【修正】　165ページ　9行目，10行目を以下に差し替える。
　㈲　定款等の定めにより，事業年度終了日の翌日から二月以内に定時株主総会が招集されない常況にある場合　一月の期限延長
　　会計監査人設置会社が事業年度終了日の翌日から三月以内に決算についての定時株主総会が招集されない常況にある場合　四月を超えない範囲内において税務署長が指定する月数の期限延長
　　事業年度終了日の翌日から三月以内に決算についての定時株主総会が招集されない常況にあることその他やむを得ない事情があると認められる場合　税務署長が指定する月数の期限延長（法75の2①）

【平成30年度税制改正の大綱（一部抜粋・要約）】
平成29年12月22日　閣議決定

大綱の前文に示された法人税制改正の方向は，次のとおりである。
「**賃上げ・生産性向上のための税制上の措置及び地域の中小企業の設備投資を促進するための税制上の措置を講じ，・・税務手続の電子化の推進・・等を行う。**」

三　法人課税

1　賃上げ・生産性向上のための税制　（国　税）

(1)　**所得拡大促進税制（雇用者給与等支給額が増加した場合の税額控除制度）の改組**

青色申告法人が，平成30年4月1日から平成33年3月31日までの間に開始する各事業年度において，次の要件を満たすときは，国内雇用者に対する給与等支給増加額の15%の税額控除ができる制度とする（教育訓練費額の比較教育訓練費額に対する増加割合が20%以上の場合は，給与等支給増加額の20%の税額控除ができる）。ただし，控除税額は，当期の法人税額の20%を上限とする。

　①　平均給与等支給額から比較平均給与等支給額を控除した金額の比較平均給与等支給額に対する割合が3%以上であること。
　②　国内設備投資額が減価償却費の総額の90%以上であること。

(2)　**情報連携投資等の促進に係る税制の創設**

青色申告法人が，革新的事業活動による生産性の向上の実現のための臨時措置法（仮称）に基づく情報連携利活用設備を取得等した場合，特別償却（取得価額の30%）と税額控除（取得価額の5%〈一定の場合3%〉）との選択ができる。ただし，税額控除額は，当期法人税額の20%（一定の場合15%）を上限とする。

(3)　**租税特別措置の適用要件の見直し**

大企業につき，①平均給与等支給額が比較平均給与等支給額を超えること，②国内設備投資額が減価償却費の総額の10%を超えること，のいずれの要件にも該当しない場合，研究開発税制その他の一定の税額控除を適用できないこととする。ただし，その所得の金額が前期の所得の金額以下の一定

の事業年度にあっては、対象外とする。
(4) 中小企業における所得拡大促進税制の改組

　青色申告中小企業者等が、平成30年4月1日から平成33年3月31日までの間に開始する各事業年度に国内雇用者に対して給与等を支給する場合において、平均給与等支給額から比較平均給与等支給額を控除した金額の比較平均給与等支給額に対する割合が1.5%以上であるときは、給与等支給増加額の15%の税額控除ができることとする。この場合において、一定の要件を満たすときは、給与等支給増加額の25%の税額控除ができることとする。ただし、控除税額は、当期の法人税額の20%を上限とする。

2 競争力強化のための税制措置 （国　税）
(1) **特別事業再編を行う法人の株式を対価とする株式等の譲渡に係る所得の計算の特例の創設**

　法人が、特別事業再編計画に基づく産業競争力強化法の特別事業再編（仮称）により、その有する株式を譲渡し、その認定を受けた事業者の株式の交付を受けた場合には、その譲渡した株式の譲渡損益の計上を繰り延べることとする。

(2) **組織再編税制の見直し**

　組織再編税制について、若干の項目に関する見直しがなされている。

3 地方創生の実現 （国　税）
地方拠点強化税制の見直し

4 税務手続の電子化等の推進
（国　税）
(1) **申告書の電子情報処理組織による提出義務の創設**
　① 大法人（資本金の額が1億円を超える法人等）の法人税及び地方法人税の確定申告書、中間申告書及び修正申告書の提出については、これらの申告書に記載すべきものとされる事項を電子情報処理組織を使用する方法（e-Tax）により提供しなければならないこととする。

（地方税）
(1) **申告書の電子情報処理組織による提出義務の創設**
　① 大法人の法人住民税及び法人事業税の申告書についても、電子情報処理組織による提出義務の創設が示されている。

5 その他の租税特別措置　（国　税）

〔新設〕

(1) 青色申告法人で特定事業者等であるものが，適用期間内に，**高度省エネルギー増進設備等の取得等**をして，国内事業の用に供した場合には，その取得価額の30％の特別償却（中小企業者等については，取得価額の7％の税額控除との選択適用）ができることとする。ただし，税額控除額は，当期の法人税額の20％を上限とする。

〔延長〕

　　注．末尾に示したページは，『新訂・税務会計要論（第3版）』における関連する記載項目のページ数を示したものである。

(1) **倉庫用建物等の割増償却制度**の適用期限を2年延長する。（67ページ）

(5) **交際費等の損金不算入制度**について，その適用期限を2年延長するとともに，接待飲食費に係る損金算入の特例及び中小法人に係る損金算入の特例の適用期限を，2年延長する。（86ページ）

(8) **中小企業者等の少額減価償却資産の取得価額の損金算入の特例**の適用期限を，2年延長する。（61ページ）

〔廃止・縮減等〕

(1) **エネルギー環境負荷低減推進設備等を取得した場合の特別償却又は税額控除制度（環境関連投資促進税制）**は，適用期限の到来をもって廃止する。（67ページ）

(6) **障害者を雇用する場合の機械等の割増償却制度**について，基準雇用障害者数が20人以上であって，重度障害者割合が50％以上であることとの要件における重度障害者割合を55％以上に引き上げた上，その適用期限を2年延長する。（69ページ）

(8) **海外投資等損失準備金制度**について，資源開発事業法人及び資源開発投資法人に係る準備金積立率を20％（現行：30％）に，資源探鉱事業法人及び資源探鉱投資法人に係る準備金積立率を50％（現行：70％）に，それぞれ引き下げた上，その適用期限を2年延長する。（140ページ）

6 その他　（国　税）

(1) **収益の認識等についての措置**

収益の認識について法令上の明確化，長期割賦販売等について延払基準の廃止と経過措置等が示されている。

　　注．平成30年度税制改正の大綱
　　　　http://www.mof.go.jp/tax_policy/tax_reform/outline/fy2018/20171222taikou.pdf
　　　平成30年度税制改正の大綱の概要
　　　　http://www.mof.go.jp/tax_policy/tax_reform/outline/fy2018/30taikou_gaiyou.pdf

[新訂]

税務会計要論

[第3版]

中田信正
Nakata Nobumasa

同文舘出版

新訂第3版序文

　本書は，平成27年（2015年）3月に発行された『新訂・税務会計要論（第2版）』を，平成27年度及び平成28年度における税制改正の内容を反映させて，改訂したものである。平成29年度税制改正の要点については，巻末に「平成29年度税制改正の大綱」（一部抜粋）を掲載している。

　平成27年度及び平成28年度における，成長志向を目的とした法人税制改正の主要項目は，以下のとおりである。

「平成27年度」

［国税］

1. 法人税の税率が23.9％（改正前25.5％）に引き下げられた。
2. 欠損金の繰越控除限度額が引き下げられた（平成28年度に再改正）。
3. 青色申告書提出事業年度の欠損金等に対する繰越期間が10年（現行：9年）に延長された（平成29年4月1日施行，平成28年度に再改正）。
4. 受取配当等の益金不算入割合が，株式等保有割合により，改正された。
5. 外国子会社配当益金不算入の見直しがなされた。

［地方税］

　1　外形標準課税の拡大
　　(1)　資本金1億円超の普通法人の法人事業税・地方法人特別税の税率が改正された。

「平成28年度」

［国税］

1. 法人税率（税率23.9％）が，平成28年4月1日以後開始事業年度には23.4％，平成30年4月1日以後開始事業年度には23.2％に引き下げられた。
2. 減価償却制度の見直し
　　平成28年4月1日以後に取得する建物附属設備及び構築物並びに鉱業用建物の償却方法につき，定率法が廃止された。
3. 欠損金の繰越控除限度割合が見直された。

4. 平成27年度に改正された欠損金繰越期間（9年→10年）につき，平成30年4月1日施行とされた。

［地方税］

1. 事業税の税率引下げと外形標準課税の拡大がなされた。
    ① 資本金1億円超の普通法人の法人事業税の税率が改正された。
    ② 地方法人特別税の税率が改正された。

　グローバル化の流れの中における経済情勢の急速な変化に対応して，国際競争力の向上のための法人実効税率の引き下げがなされた。地方税制の変革を反映した地方税の税率の改正がなされ，法人税制はさらに複雑化している。それだけに，法人税制の基本的な仕組みを理解することが重要となっている。今回の改訂では，改正項目，計算例，練習問題と回答のヒントにつき書き換えを行った。本書が，最近の税制改正を反映した税務会計の重要項目を体系的かつ具体的に解説した入門書として参考になれば，まことに幸いである。

　最後に，今回の改訂において大変お世話になった，同文舘出版株式会社の取締役編集局長　市川良之氏に感謝申し上げたい。

　平成29年（2017年）1月

中田　信正

新訂第 2 版序文

　本書は，平成 23 年（2011 年）2 月に発行された『新訂・税務会計要論』を，平成 23 年度から平成 26 年度にわたる税制改正の内容を反映させて，改訂したものである。平成 27 年度税制改正大綱の要点については巻末に掲載している。
　平成 23 年度以降における税制改正の主要点は，以下のとおりである。
［法人税制］
「平成 23 年度税制改正」
1. 100％グループ内法人に係る税制が見直された（軽減税率の不適用等）。
2. 棚卸資産の評価法につき，切放し低価法が廃止された。

「平成 24 年度税制改正」
1. 法人税率が 25.5％（改正前 30％），中小法人の年 800 万円以下の所得に対して 15％（改正前 18％）に引き下げられた。
2. 減価償却に 200％定率法が導入された。
3. 欠損金の繰越控除限度額が繰越控除前所得の 80/100（中小法人を除く）に制限された。
4. 青色申告提出事業年度欠損金の繰越期間が 9 年（改正前 7 年）に延長された。
5. 貸倒引当金の適用法人が銀行，保険会社その他これらに類する法人および中小法人に限定された。
6. 寄附金の損金算入限度額が改正された。
7. 復興特別法人税の創設―平成 26 年度税制改正において廃止された。
8. 過大支払利子税制が制定された。

「平成 25 年度税制改正」
1. 中小法人の交際費課税の特例が拡大された。
　　　800 万円（定額控除限度額）以下交際費の全額損金算入
2. 所得拡大促進税制が創設された。

「平成 26 年度税制改正」

1. 交際費課税が改正された。
   接待飲食費の50%超過額の損金不算入
2. 地方法人課税が改正された。
   地方法人税の創設　地方法人特別税の改正

［消費税］

　平成26年4月1日以後消費税率（地方消費税を含む）が8％（改正前5％）に引き上げられた。

　急速にグローバル化が進む状況において，国際競争力の向上と経済の活性化に向けて，法人税制は大きく変化している。法人実効税率の引き下げ，民間投資の喚起，雇用・所得の拡大等の課題に向けた税制改正が，進展しつつある。消費税率の引き上げも企業税務にとり重要課題である。大幅な改正による税制内容は複雑化しており，それだけに法人税制の基本的な仕組みを理解することが重要であり，改訂においてもこの観点を重視している。そのため改正された重要項目の要点をわかりやすく解説し，具体的に理解できるように，計算例を大幅に見直している。今回の改訂版が，最近の税制改正を反映した，税務会計の基本的仕組みを解説した入門書として参考になれば，まことに幸いである。

　最後に，今回の改訂において大変お世話になった，同文舘出版株式会社の取締役編集局長　市川良之氏に感謝申し上げたい。

　　平成27年（2015年）1月

中田　信正

新訂版の序

　本書は、『税務会計要論 16 訂版』を全面的に見直し、税務会計のベーシックな入門書に書き改め、書名を『新訂・税務会計要論』としたものである。『税務会計要論』の初版は 1982 年（昭和 57 年）に全 20 章で発行し、『税務会計要論 16 訂版』は 2008 年（平成 20 年）に全 24 章となっている。『税務会計要論』は、税務会計の基礎を全体的かつ具体的に解説することを目的として発行されたが、その後の多くの税法改正を反映して改訂を重ねてきた。この間に創設された消費税、企業組織再編税制、連結納税等を取り入れたため、専門性の高い内容を含み、ページ数も相当に増加し、税務会計の中級書の性格を持つようになった。長年の間、多くの読者に支えられて改訂を続けられたことに心より感謝するとともに、著者自身、度重なる改訂を通じて多くのことを学び得たことは、まことに有意義であった。

　この度、税務会計を初めて学ぶという目的に適合する入門書に対する要望に応えて、『税務会計要論 16 訂版』をベースにしながら、その内容を全面的に改訂し、税務会計の基礎理論と基本的計算構造を体系的かつ具体的に理解できるように、新たな試みを加えている。税務会計の仕組みとその計算構造の基礎が全体的に理解できるように、解説したものである。税務会計の仕組みの要点を理論と実践の両面から説明するとともに、法人税法における主要な益金・損金項目（税務会計上の収益・費用項目）に関するそれぞれの計算と全体的な所得計算（税務会計上の課税利益の計算）とを総合して把握できるように、取りまとめている。解説に当たっては、税務会計に関する制度の内容と制定の背景・理由（なぜこの税務計算規定があるのか）を明らかにするとともに、多くの例題等によって、その計算の仕方が具体的かつ実践的に理解できるように心がけた。

　税務会計は、企業における会計者（会計担当者、アカウンタント）が行う総合的な会計業務のうち、税務的側面を対象とする領域である。会計者が税務につき関心を持つ主要な分野として、次の 2 つがある。

（1）課税所得金額と税額の計算および申告をいかに行うか（課税所得論）

(2) 合理的な租税負担を可能にする税務計画は何か（税務計画論）

(1)の「課税所得論（税額計算を含む）」は税務会計の中心となっており，本書においても，この分野の課題を対象にしている。その主な構成は，次のとおりである。

　　総論―税務会計の概念，法人の種類，所得計算の仕組み
　　各論―益金・損金の主要項目
　　　　　所得・税額の計算と申告手続き等
　　企業税務の重要課題―国際税務，企業集団税制および消費税

これらの各項目の説明においては，それぞれの基本となる内容を解説するとともに，理解を具体化するために，単純化した計算例や仕訳例を示すように配慮した。さらに，復習による理解を深めるため，練習問題を作成するとともにその解答のヒントを示している。参考資料として，主要な法人税申告書様式，減価償却耐用年数，規模別法人数等を付録に掲載している。

(2)の「税務計画論」については，重要な項目について《税務計画メモ》を設け，その要点を簡単に紹介している。

以上のような構成に基づく新訂版が，税務会計の基礎を学ぼうとする学生，会社の会計担当者，将来に公認会計士および税理士を目指す人々にとって参考になれば，まことに幸いである。

最後に，今回の新訂をお勧めいただき，さらに原稿の取りまとめにあたって何かとお世話になった，同文舘出版株式会社の取締役編集局長　市川良之氏に深く感謝申し上げたい。

　平成22年（2010年）12月

　　　　　　　　　　　　　　　　　　　　　　　　　　　　中田　信正

序　　文

　本書は，初めて税務会計を学ぶ人々に，税務会計の基本的な問題を体系的に理解できるように書かれたものである。税務会計の学習には，最初にその骨組みをしっかり理解し，その後により詳細な知識を付け加えることが必要である。本書においては，法人税の計算規定を中心に，法人企業が課税所得金額と税額を計算し，申告するために必要な基礎知識を，会計処理に関連させて説明し，税務会計の枠組みが理解できるように心掛けた。

　筆者は，税務会計を，企業における会計者（アカウンタント）が行う総合的な会計業務のうち税務的側面を対象とするものと考える。会計者が税務につき関心を持つ分野として，次の3つがある。

(1)　課税所得金額と税額の計算および申告を如何に行うか（課税所得論）。
(2)　算出された法人税額を財務諸表にどのように表示するか（法人税等の会計）。
(3)　合理的な租税負担を可能にする税務計画とは何か（税務計画論）。

　本書においては，(1)の「課税所得論（税額計算を含む。）」に大部分の頁数（第2章から第19章）を費やしている。通常，税務会計といわれるときには，この分野を意味していることが多い。そこでは，まず，納税主体等（第2章）を述べ，ついで，所得金額計算の通則（第3章）を説明し，さらに，益金および損金論（第4章〜第16章）において，所得金額を計算するための重要項目の検討を行った。そして，所得金額に対する税額の計算（第17章）につき，税率および税額控除を論じ，つづいて，所得金額と税額の申告手続等（第18章）に触れ，最後に，税法上の資本積立金および利益積立金（第19章）の特色を概観した。これらの各項目の説明においては，これらの基本となる内容を解説し，理解を具体化するために，単純化した計算例や仕訳例を示すように配慮した。本書では，基本書としての性格上，複雑な申告書の作成を含む総合問題には触れず，むしろ，申告書作成に必要な基本的知識を系統的に述べる方針をとった。

　(2)の「法人税等の会計」については，第20章に簡単に紹介している。それは，

財務諸表の作成において，法人税等の計上をどのように行うかという問題であり，法人税等の期間配分を行う，「税効果会計」にも関連するものである。この問題を深く理解するためには，(1)の「課税所得論」で学んだ知識が不可欠である。

(3)の「税務計画論（タックス・プランニング）」は，(1)の「課税所得論」で学んだ知識を応用して，合法的に，法人企業の租税負担を有利にするために，事前の検討をいかに行うかという問題である。また，不利な租税負担をもたらす事項をあらかじめ知り，それに適切に対処することも必要である。本書においては，重要な項目について《税務計画メモ》を設け，その要点を簡単に紹介した。

さらに，読者の理解を深めるため，各章における主要な内容について，練習問題を用意し，本書の末尾に掲載した。

以上のような構成に基づく本書が，税務会計の基礎を学ばんとする学生，会社の会計担当者，将来に公認会計士および税理士を志す人々にとって，なんらかの役に立てば，まことに幸いである。

ここで，筆者の税務会計研究に種々御指導をいただいてきた，関西学院大学名誉教授　青木倫太郎先生，関西学院大学教授　増谷裕久先生に対しては，深く謝意を表するものである。

また，本書の出版にあたっては，同文舘の松元司氏に大変お世話になり，その熱意のおかげで本書が完成できたことを，心より感謝する次第である。

昭和 56 年（1981 年）12 月

中田　信正

目　次

第 I 部　課税所得総論

第 1 章　税務会計の概念 ―――――― 3
―税務会計とは何か―

第 1 節　税務会計の意義 …………………………………………3
　　　　―法人税法と会計―
　1　総合的な会計業務の一分野としての税務会計………………3
　2　税務会計の分野……………………………………………4
第 2 節　課税所得論の構成 ………………………………………5
第 3 節　法人税関連法令 …………………………………………6

第 2 章　法人税の納税主体と課税所得 ―――――― 9

第 1 節　法人の種類および課税所得の範囲等……………………9
　1　法人の種類…………………………………………………9
　2　課税所得の範囲……………………………………………11
　3　所得の帰属に関する通則…………………………………11
　4　事業年度……………………………………………………12
　5　納　税　地…………………………………………………12
第 2 節　同　族　会　社……………………………………………13
　1　同族会社の意義……………………………………………14
　2　留保金課税，行為または計算の否認……………………15
第 3 節　青　色　申　告……………………………………………17

第3章　各事業年度の所得金額 ―――――――――――――――――― 19

 1　所得金額の計算 …………………………………………………… 19

 2　決算利益と所得金額の関係 ……………………………………… 21

第Ⅱ部　益金・損金論

第4章　販売・請負等の収益 ―――――――――――――――――― 27

 第1節　販 売 収 益 ………………………………………………………… 27

  1　棚卸資産の販売による収益帰属の時期 ………………………… 27

  2　委託販売 …………………………………………………………… 28

  3　長期割賦販売等 …………………………………………………… 28

  4　試用販売 …………………………………………………………… 29

  5　予約販売 …………………………………………………………… 30

  6　商品引換券等 ……………………………………………………… 30

 第2節　請負による収益 …………………………………………………… 31

  1　完成基準 …………………………………………………………… 31

  2　工事進行基準 ……………………………………………………… 32

 第3節　販売関連損益 ……………………………………………………… 33

  1　売上割戻し ………………………………………………………… 33

  2　仕入割戻し ………………………………………………………… 33

  3　固定資産の譲渡損益 ……………………………………………… 34

第5章　棚卸資産と売上原価 ―――――――――――――――――― 35

 1　売上原価の算定と棚卸資産 ……………………………………… 35

 2　評価方法 …………………………………………………………… 36

 3　棚卸資産の取得価額 ……………………………………………… 40

第6章　固定資産と減価償却費 ―――― 42

 1　税務減価償却の意義……………………………………………42
 2　平成19年度税務減価償却の改正………………………………43
 3　固定資産…………………………………………………………43
 4　減価償却資産の取得価額………………………………………45
 5　減価償却資産の残存簿価等……………………………………46
 6　耐用年数…………………………………………………………47
 7　平成19年3月31日以前に取得された資産の減価償却の方法…………48
 8　平成19年4月1日以後に取得された資産の減価償却の方法……………50
 9　償却方法の選定等………………………………………………55
 10　減価償却資産の償却限度額等…………………………………58
 11　除却損失…………………………………………………………62
 12　資本的支出と修繕費……………………………………………62

第7章　特別償却 ―――― 66

 1　特別償却の意義…………………………………………………66
 2　特別償却の種類…………………………………………………67
 3　特別償却不足額の1年間繰越し………………………………69
 4　特別償却の損金経理等…………………………………………71

第8章　営業費用と損失 ―――― 74

 第1節　給料・賞与・退職給与……………………………………74
 1　使用人給与等……………………………………………………74
 2　役員給与…………………………………………………………75
 3　役員の範囲………………………………………………………77
 4　使用人兼務役員の使用人分賞与の損金算入…………………77
 5　経済的利益の供与………………………………………………78
 6　役員退職給与……………………………………………………80

第2節　寄　附　金……………………………………………………81
　1　寄附金の範囲………………………………………………………81
　2　寄附金の損金算入限度額…………………………………………82
第3節　交　際　費　等……………………………………………86
　1　交際費等の損金不算入……………………………………………86
　2　交際費等の範囲……………………………………………………87
　3　広告宣伝費と交際費等との区分…………………………………89
第4節　租　税　公　課……………………………………………90
　1　損金不算入・損金算入項目………………………………………90
　2　損金不算入の主要な租税公課……………………………………91
　3　損金算入の主要な租税公課………………………………………94
　4　租税の損金算入の時期……………………………………………96
　5　法人税等の会計処理………………………………………………97
第5節　貸　倒　損　失……………………………………………99
第6節　資産評価損…………………………………………………101
第7節　その他の諸費用……………………………………………104
　1　保　険　料…………………………………………………………104
　2　損害賠償金…………………………………………………………105
　3　海外渡航費…………………………………………………………106
　4　会費および入会金等………………………………………………106
　5　前払費用等の処理…………………………………………………107
　6　不正行為等に係る費用等の損金不算入…………………………107

第9章　営業外収益 ———————————————————109

第1節　受取配当金…………………………………………………109
　1　受取配当金の益金不算入…………………………………………109
　2　受取配当金の申告調整……………………………………………111
　3　外国子会社配当の益金不算入……………………………………113
　4　みなし配当…………………………………………………………113
第2節　還　付　金…………………………………………………114

第3節　資産評価益……………………………………………………………115
　　第4節　受　贈　益……………………………………………………………115

第10章　有価証券の譲渡損益および時価評価損益 ── 118

　　1　有価証券の範囲………………………………………………………………118
　　2　有価証券の譲渡損益の計算…………………………………………………118
　　3　有価証券の区分………………………………………………………………119
　　4　有価証券の取得価額…………………………………………………………119
　　5　有価証券の1単位当たりの帳簿価額の算出方法…………………………120
　　6　有価証券の区分と売買目的有価証券の評価損益…………………………121

第11章　繰延資産の償却 ── 123

　　1　繰延資産の種類………………………………………………………………123
　　2　繰延資産の償却限度額………………………………………………………124

第12章　リース取引 ── 128

　　1　リースの区分…………………………………………………………………128
　　2　売買とされるリース取引……………………………………………………128
　　3　リース取引・リース資産等の定義…………………………………………129
　　4　所有権移転外リース取引……………………………………………………129
　　5　所有権移転リース取引………………………………………………………130
　　6　リース資産の減価償却法……………………………………………………130
　　7　金銭の貸借とされるリース取引……………………………………………131
　　8　リース取引における賃貸人の処理…………………………………………132

第13章　引当金・準備金 ── 133

　　第1節　貸倒引当金……………………………………………………………133

1　法人税法における引当金…………………………………………133
　　2　貸倒引当金の繰入れと洗替え……………………………………134
　第2節　海外投資等損失準備金……………………………………………138
　　1　租税特別措置法における準備金…………………………………138
　　2　海外投資等損失準備金の積立てと取崩し………………………139

第14章　圧縮記帳 ——————————————————— 142

　第1節　国庫補助金等………………………………………………………142
　　1　圧縮記帳の処理……………………………………………………142
　　2　圧縮記帳の経理方法………………………………………………143
　第2節　収用等の場合の圧縮記帳…………………………………………144
　　1　収用等に伴い代替資産を取得した場合の圧縮記帳の処理……144
　　2　圧縮記帳の経理方法………………………………………………145

第15章　欠損金等 ——————————————————— 146

　　1　欠損金の繰越し……………………………………………………146
　　2　欠損金の繰戻し……………………………………………………147

第Ⅲ部　税額計算と申告手続

第16章　税額の計算 —————————————————— 151

　第1節　各事業年度の所得に対する法人税額……………………………151
　第2節　特定同族会社の留保金課税………………………………………153
　第3節　使途秘匿金がある場合の課税の特例……………………………155
　第4節　税額控除……………………………………………………………155
　　1　所得税額控除………………………………………………………155
　　2　外国税額控除………………………………………………………156

3　試験研究を行った場合の法人税額の特別控除……………………………157
　第5節　地方法人税…………………………………………………………………158
　第6節　地方税等の税額計算………………………………………………………159
　　　1　法人住民税の税率………………………………………………………………159
　　　2　法人事業税および地方法人特別税の税率―資本金1億円以下の法人…160
　　　3　法人事業税の外形標準課税―資本金1億円超の法人……………………161

第17章　申告および更正等・資本金等の額および利益積立金 ─── 163

　第1節　申告・納付・更正・決定等………………………………………………163
　　　1　中間報告…………………………………………………………………………163
　　　2　確定申告…………………………………………………………………………164
　　　3　還　付……………………………………………………………………………165
　　　4　更正，決定等……………………………………………………………………166
　　　5　不服の申立て……………………………………………………………………167
　第2節　法人税申告書・資本金等の額および利益積立金………………………167
　　　1　法人税申告書……………………………………………………………………167
　　　2　資本金等の額……………………………………………………………………168
　　　3　利益積立金額……………………………………………………………………169
　　　4　申告書「別表四」「別表五（一）Ⅰ」……………………………………170

第Ⅳ部　企業税務における重要課題

第18章　国際税務 ────────────────── 175

　第1節　外貨建取引の換算等………………………………………………………175
　第2節　移転価格税制………………………………………………………………177
　　　　―国外関連者との取引に係る課税の特例―
　第3節　タックス・ヘイブン税制…………………………………………………180
　　　　―特定外国子会社等の課税対象金額の益金算入―

第4節　過少資本税制……………………………………………………181
　　　―国外支配株主等に係る負債利子の課税の特例―
第5節　過大支払利子税制…………………………………………………182
　　　―関連者等に係る支払利子等の損金不算入―

第19章　企業集団税制 ― 183

第1節　企業組織再編税制…………………………………………………183
　1　株式交換・株式移転に係る課税の特例……………………………183
　2　合併に関する税法規定………………………………………………186
　3　会社分割税制…………………………………………………………188
第2節　連結納税制度………………………………………………………190
　1　連結納税の納税義務および範囲……………………………………190
　2　連結納税の承認申請…………………………………………………191
　3　連結所得の計算………………………………………………………191
　4　連結納税開始・加入における資産の時価評価と欠損金持込制限……193
　5　連結法人税額の計算…………………………………………………194
　6　連結納税に関する申告・納付………………………………………194
　7　連結納税制度を適用している場合の地方法人税…………………196
　8　地方税における個別納税計算………………………………………196
第3節　グループ法人税制…………………………………………………197

第20章　消費税の仕組みと経理処理 ― 198

　1　消費税の仕組み………………………………………………………198
　2　消費税の経理処理……………………………………………………202

練習問題 ― 205
練習(計算)問題解答ヒント ― 222
主要参考文献 ― 227

《付 録》―――229

 法人税申告書別表一（一）・一（一）次葉・四・五（一）

 減価償却資産の耐用年数に関する省令（抜粋）

 組織別・資本金階級別法人数

 利益計上法人数・欠損法人数の推移

平成29年度税制改正の大綱（一部抜粋）―――241

索　引―――245

凡　例

1. 本書は，平成28年12月1日現在の法令による。
2. 略　語　例

法	法人税法
令	法人税法施行令
規	法人税法施行規則
基通	法人税基本通達
耐用年数省令	減価償却資産の耐用年数等に関する省令
耐通	耐用年数の適用等に関する取扱通達
措法	租税特別措置法
措令	租税特別措置法施行令
措規	租税特別措置法施行規則
措通	租税特別措置法関係通達
通法	国税通則法
通令	国税通則法施行令
所法	所得税法
地法	地方税法
地令	地方税法施行令
改法附則	法人税法等の一部を改正する法律　附則
改令附則	法人税法施行令の一部を改正する政令　附則
消去	消費税法
消令	消費税法施行令
民	民法
商	商法
会	会社法
計規	会社計算規則
会計原則	企業会計原則
財規	財務諸表等規則
財規ガイドライン	財務諸表等規則ガイドライン

3. 引　用　例

法38①三	法人税法第38条第1項第3項
基通9-6-1	法人税基本通達9-6-1
平元直法2-2	平成元年3月30日直法2-2法個99（法個は法人税個別通達を示す。)

第 I 部

課税所得総論

第 I 部のねらい

総論(第1章~第3章)

　税務会計の骨組みを理解できるように,税務会計の概念,納税主体としての法人企業,課税される所得金額の計算構造を解説する。まず,税務会計とは何かを論じ,次いで,法人の種類とその租税負担の相違,税務上重要な同族会社,青色申告制度の説明をしている。さらに,財務会計利益(決算利益)に申告調整を行うことによって税法上の所得金額を算定する仕組みを明らかにしている。

第 1 章
税務会計の概念
―税務会計とは何か―

　第1章では，税務会計とは何かということを全体的に理解できるように，税務会計の骨組みとその関連法令を解説する。

第1節　税務会計の意義
―法人税法と会計―

　税務会計（Tax Accounting）とは，主として，企業が税務当局へ課税所得および税額を申告するための会計（Accounting for Tax Authorities）をいう。課税所得および税額の計算の規定は，法人税法等の税法に定められており，税務会計は税法計算規定に基づいて行われる会計ということができる。

1　総合的な会計業務の一分野としての税務会計

　企業の行う会計は，企業の経営活動（利益の状況）と財政状態（財務安全性の状況）に関する貨幣価値（金額）情報を扱うものである。企業は，有用な会計情報を，利害関係者（ステイクホルダー [stake holder]）である，株主，投資者，債権者，従業員，税務当局等に提供することによって，会計責任（会計報告責任，アカウンタビリティ）を果たすことになる。会計責任の履行は，利害関係者の意思決定に役立つことになる。
　株主，投資者，債権者に対する会計報告の分野は財務会計（financial accounting）と呼ばれている。財務会計に関連して，会社法，金融商品取引法（主として上場会社を対象）は，会社の会計に関する定めがあり，企業会計原則，企業会

計基準委員会の企業会計基準等が，重要な役割を果たしている。

会計の持つ側面の1つに，税法と関係する領域がある。「会計における税務的側面（tax aspect of accounting）」の観点からは，その領域として，税務会計が存在している。税務会計においては，法人税法等の税法規定に準拠して，税務当局に課税所得および税額の申告を行うことが，主要な目的とされる。

2　税務会計の分野

会計を行う主体は企業であり，経営者の責任において，直接には会計者（会計担当者［accountant］）によって会計実践がなされる。会計の税務的側面に対する会計者の関心は，「①課税所得と税額はいくらか，②最有利な租税負担をもたらす税務計画はどのようなものか」ということである。税務会計の分野を示せば次のとおりである。

①　課税所得論（税額計算を含む）―税法会計

課税所得論は，法人税法等の税法に基づく課税所得および税額の算定と申告（報告）について，理論的かつ実践的な学習を行う分野である。通常，税務会計という場合はこの分野を指し，また，税法に基づく会計という点では「税法会計」と呼ぶこともできる。企業の経営者および会計者は，納税申告書により税務官庁に対して報告を行い，その報告内容に付き責任を持つ。この場合の報告は，具体的には「申告」と呼ばれ，所得金額と税額の確定を通じて納税義務の履行を伴う，より拘束力の強い性格を持つものである。本書はこの課税所得論を中心に構成されている。

②　税務計画論―税務管理会計

税法と管理会計との境界領域として税務計画論（タックス・プランニング［tax planning］）の分野がある。租税負担の企業経営に与える影響は重要である。経営者は，不必要な租税負担を避け，合法的かつ合理的に租税負担を最小限にして，税引後利益を最大にするように努力する。税法には，その選択によって合法的に租税負担を軽減できる規定が多く存在する。経営者の計画設定，意思決定に当たり，租税負担が合理的に最有利になるような選択方法に関する情報を対象に

するものである。本書においてはこの分野は扱わず，参考まで，重要な項目について《税務計画メモ》を設け，その要点を指摘している。

> （注） 税務会計に関連する分野として，財務会計における「法人税等の会計—税効果会計—」の課題があるが，本書では取り上げていない。

第2節　課税所得論の構成

本書は，税務会計の基本となる課税所得論（税額計算を含む）の基礎知識を解説している。その内容構成を示せば次のとおりである。

(1) 総論（第1章〜第3章）

税務会計の骨組みを理解できるように，税務会計の概念，納税主体としての法人企業，課税される所得金額の計算構造を，解説する。まず，税務会計とは何かを論じ，その中心となる課税所得論の概要を紹介する。次いで，法人の種類とその租税負担の相違，税務上重要な同族会社の意義，正しい申告納税制度を裏付けるものとして青色申告制度の説明をしている。さらに，財務会計利益（決算利益）に申告調整を行うことによって税法上の所得金額を算定する仕組みを明らかにしている。

(2) 益金・損金論（第4章〜15章）

課税対象になる所得金額は，益金から損金を控除して，算定される。したがって，益金とは何か，損金とは何かを理解する必要があり，益金・損金の各項目別にその計算規定を検討することが必要になる。本書では，重要な益金項目，損金項目につき，税務上の取扱いの概要を説明するとともに，具体的な計算例による理解を重視している。益金損金論は税務会計の主要部分を占めており，本書では，次の益金・損金項目等を取り上げている。

益 金 項 目	売　上　受取配当金　等
損 金 項 目	売上原価　減価償却等　役員給与等　寄付金　交際費等　租税公課　貸倒損失　等
関連する項目	有価証券，繰延資産，リース，引当金・準備金　圧縮記帳　等
欠 損 金 等	欠損金の繰越しと繰戻し　等

(3) 課税所得・税額の計算と申告手続き等（第16章，17章）

　益金・損金論の後，申告調整による所得金額の計算構造を取り上げる。所得金額に税率を適用して税額を算出し，それから税額控除を差し引いて法人税額を算定する方式を解説する。地方税である法人住民税と事業税等の計算方法についても説明を行っている。さらに，法人税の申告・納付・更正，決定等に関する手続き等も重要であり，その概要を紹介している。税法上の利益積立金の計算は，所得金額の算定と密接に関連しており，両者の関係を簡単に例示している。

(4) 企業税務の重要課題としての国際税務，企業集団税制および消費税（第18章～20章）

　企業活動の国際化・企業集団化が急速に拡大している。税制においても国際税務・企業集団税制の重要性が高まってきている。移転価格税制を中心とする国際税務，企業集団税制として企業組織再編税制（株式交換・株式移転・合併・分割等）と連結納税につき，その概要を解説している。さらに，企業税務において重要性を増してきている消費税につき，その仕組みの要点を説明している。

第3節　法人税関連法令

　税務会計は，税法の計算規定に従って，処理されるものである。その中心は法人税法であり，関連する法令等を遵守して行われる。法人税に関連する主要な租税法令等の概要を示せば，次のとおりである。

① 憲　法

　憲法は「納税義務」を定めており，国民は，法律の定めるところにより，納税義務を負うとしている（憲法第30条）。

　憲法は「租税法律主義」を明確にしており，あらたに租税を課し，または現行の租税を変更するには，法律または法律の定める条件によることを必要とすると定めている（憲法第84条）。

② 国税通則法

　国税通則法は，国税についての基本的事項および共通的事項を定めたものであ

り，法人税に関連する重要規定が含まれている。政令として国税通則法施行令，省令として国税通則法施行規則も定められている。

③ 法 人 税 法
(1) 法律—法人税法

法人税に関する法律案は，国会両議院の可決により法人税法という法律になる（憲法第59条第1項）。

法人税法の趣旨につき，第1編　総則，第1章　通則，第1条に次の通り述べられている。

「第1条　この法律は，法人税について，納税義務者，課税所得等の範囲，税額の計算の方法，申告，納付及び還付の手続並びにその納税義務の適正な履行を確保するため必要な事項を定めるものとする。」

法人税法の主要な構成を抜粋して示せば，次のとおりである。

第1編　総　則
　　第1章・通則，第2章・納税義務者，第3章・課税所得等の範囲，第4章・所得の帰属に関する通則，第5章・事業年度等，第6章・納税地　等
第2編　内国法人の納税義務
　　第1章・各事業年度の所得に対する法人税（第1節・課税標準及びその計算，第2節・税額の計算，第3節・申告，納付及び還付等），第3章・青色申告，第4章・更正及び決定　等
第3編　外国法人の納税義務

---

(2) 政令—法人税法施行令

内閣の職務として，憲法および法律の規定を実施するために政令を制定することとされている（憲法第73条六号）。法人税法に関する政令は法人税法施行令が該当し，閣議決定により制定される。

(3) 省令—法人税法施行規則

各省大臣が，主任の行政事務につき，法律もしくは政令を施行するため，または法律もしくは政令の特別の委任に基づいて，それぞれの機関の命令として省令を発することができる（国家行政組織法第12条第1項）。法人税法に関しては，財務省令として法人税法施行規則が定められている。

(4) 通　　達

各大臣，各委員会および各庁の長官は，その所掌事務に関して，所管の諸機関

や職員に示達するための通達を発することができる（国家行政組織法第14法第2項）。法人税に関する法令解釈のために，法人税基本通達，個別通達が国税庁長官から発せられている。たとえば，平成15年（2003年）2月28日には，連結納税基本通達が法令解釈通達として制定されている。

④ 租税特別措置法

法人税には租税政策的要素が反映しており，その定めは租税特別措置法の中（第3章　法人税法の特例）に含まれている。次に示したように，租税特別措置法について，政令，省令および通達が定められている。
(1)　租税特別措置法
(2)　租税特別措置法施行令
(3)　租税特別措置法施行規則
(4)　租税特別措置法法人税関係基本通達・個別通達

⑤ 減価償却資産の耐用年数等に関する省令等

以下に示したように，減価償却資産の法定耐用年数表を定めたものであり，減価償却限度額の計算に重要な役割を果たしている。
(1)　減価償却資産の耐用年数等に関する省令
(2)　耐用年数の適用等に関する取扱通達

⑥ 地方税法および地方税法施行令

法人企業は，国税である法人税とともに，地方税の納税義務を負う。地方税に関する法律は，地方税法である。地方税における法人企業の所得課税に関するものとして，道府県民税，事業税，市町村民税等が定められている。

第2章 法人税の納税主体と課税所得

第1節　法人の種類および課税所得の範囲等

1　法人の種類

① 　内国法人・外国法人の区分

法人税法における法人の種類は，まず，次のように区分することができる（法2, 4）。

(1) 内国法人　(2) 外国法人

内国法人（domestic corporations）とは，国内に本店または主たる事務所を有する法人をいい，それ以外の法人を外国法人（foreign corporations）という。内国法人は，国内および外国において生じたその帰属するすべての所得につき納税義務があるのに対し，外国法人は，国内に源泉を有する所得のみに納税義務を負う。

（例1）　日本に本店のある会社が持つ外国支店の所得⇒外国支店は日本の内国法人であるため，その所得は日本の納税義務を負う。

（例2）　日本に本店のある会社が持つ外国子会社（外国の法制に基づき設立された会社）の所得⇒外国子会社は外国法人につき，外国源泉所得に対し日本での納税義務は無い。

（例3）　外国に本店のある会社（外資系企業）の日本支店⇒日本支店の国内源泉所得に対して納税義務がある。

（例4）　外国に本店のある会社（外資系企業）の持つ日本子会社（日本の会社法によ

り設立）の所得⇒外資系日本子会社は，内国法人につきその所得に対して納税義務がある。

② 法人の種類

さらに，法人は次のように分類することができる（法2，4）。

(1) 公共法人，(2) 公益法人等，(3) 協同組合等，(4) 人格のない社団等，(5) 普通法人

(1) 公共法人は，その公共目的により，納税義務のない非課税法人であり（法4），たとえば，次のような法人がある（法別表1）。

> 国立大学法人，社会保険診療報酬支払基金，地方公共団体，独立行政法人（財務大臣指定），地方独立行政法人，国民生活金融公庫，日本年金機構，日本放送協会等

(2) 公益法人等（public interest corporations）は，その公益目的により公益事業に対しては非課税であるが，収益事業（profit-making business）を営む場合は納税義務がある。公益法人等は，たとえば，次のとおりである（法別表2）。

> 学校法人，社会福祉法人，宗教法人，商工会議所，日本赤十字社，労働組合（法人であるものに限る），公益社団法人，公益財団法人，信用保証協会等

(3) 協同組合等（cooperatives）は納税義務を有するが，普通法人より低い税率が適用される。たとえば，次のものがある（法別表3）。

> 消費生活協同組合，信用金庫，農林中央金庫，中小企業等協同組合，農業協同組合，漁業協同組合，労働金庫等

(4) 人格のない社団等（nonjuridical organizations）とは，法人でない社団または財団で代表者または管理人の定めがあるものをいい，収益事業を営む場合には納税義務を負うものである。

(5) 普通法人（ordinary corporations）は，上記以外の法人で，すべての所得に対し納税義務を有するものである。具体的には，株式会社，合名会社，合資会社，合同会社等の形態をとり，一般に法人税を論ずる場合には，普通法人を対象として行われる。

(例5) 非課税法人と普通法人
　　　NHK（日本放送協会）→非課税法人，
　　　株式会社である民間放送会社→普通法人として課税
(例6) 適用税率の異なる協同組合等と普通法人
　　　株式会社である都市銀行→普通法人として課税
　　　信用金庫→協同組合等として軽減税率適用

(例 7) 公益法人等の公益事業と収益事業
　　　神社（宗教法人）のさい銭→非課税，結婚式場事業（収益事業）→課税

2　課税所得の範囲

法人税は，各事業年度の所得に対して課税される（法 5）。

　　（注）　退職年金業務を行う内国法人については「退職年金等積立金に対する法人税」が課税される。ただし，平成 11.4.1〜29.3.31 開始事業年度については課税が停止されている（措法 68 の 4）。さらに，平成 22 年度税制改正で，清算所得に対する課税は廃止された。

法人の種類別に課税所得等の範囲を掲げれば，次のとおりである。
(1)　内 国 法 人
　(イ)　普通法人および協同組合等
　内国普通法人等に対しては，各事業年度の所得について，「各事業年度の所得に対する法人税」が課税される（法 5）。
　(ロ)　公益法人等および人格のない社団等
　内国公益法人等および人格のない社団等については，収益事業から生じた所得について，「各事業年度の所得に対する法人税」が課税される。（法 7）。
(2)　外 国 法 人
　(イ)　普 通 法 人
　外国法人である普通法人に対しては，国内源泉所得について，「各事業年度の所得に対する法人税」が課税される（法 9）。
　(ロ)　公益法人等および人格のない社団等
　外国法人である公益法人等および人格のない社団等に対しては，収益事業から生ずる国内源泉所得について，「各事業年度の所得に対する法人税」が課税される（法 10）。

3　所得の帰属に関する通則

所得の帰属に関しては，「実質所得者課税の原則（principle of taxation on actual beneficiary）」に立ち，資産または事業から生ずる収益の帰属は，法律上の単なる

名義人でなく，実質的にその収益を享受する法人に帰属するものとされる。すなわち，資産または事業から生ずる収益の法律上帰属するとみられる者が単なる名義人であって，その収益を享受せず，その者以外の法人がその収益を享受する場合には，その収益は，これを享受する法人に帰属するものとされる（法11）。

(例8) 甲野株式会社は，その役員である甲野太郎の名義で購入したA社株式につき配当金10万円を受け取った。購入資金はすべて甲野株式会社から支出されている。この場合には，甲野太郎は単なる名義人であり，実質的な所得者は甲野株式会社であるので，受取配当金は甲野株式会社に帰属する。

4　事業年度

①　事業年度の意義

所得計算は期間計算として行われるため，法人税法に事業年度（accounting period）の定めがある。事業年度は，営業年度その他これに準ずる期間で，法令で定めるもの，または法人の定款，寄附行為，規則もしくは規約に定めるものをいう（法13①）。

(注)　みなし事業年度
　　法人が解散，合併等をした場合には，特別に事業年度を区分して「みなし事業年度」とし，その区分した期間を1事業年度として課税を行う。

②　事業年度を変更した場合等の届出

法人がその定款等に定める営業年度を変更した場合には，遅滞なく，その変更前の営業年度および変更後の営業年度を，所轄税務署長に届け出なければならない（法15）。

5　納　税　地

①　納税地の意義

納税地とは，納税義務者が申告，申請，届出，納付その他の業務を履行し，権利を行使する場所をいう。内国法人の法人税の納税地は，その本店または主たる

事務所の所在地である（法16）。

外国法人の法人税の納税地は，次のとおりである（法17）。

(1) 国内に恒久的施設を有する外国法人については，国内において行う事業に係る事務所，事業所等の所在地を納税地とする。
(2) 不動産の貸付け等の対価を受ける外国法人については，その貸付資産の所在地を納税地とする。
(3) 上記に該当しない外国法人については，政令（令16）で定める場所が納税地になる。

② 納税地の指定

法人の納税地が法人の事業または資産の状況からみて法人税の納税地として不適当であると認められる場合には，その納税地の所轄国税局長は，その法人税の納税地を指定することができる（法18①）。これは，法人の本店または主たる事務所が名目だけであって，実質的な活動が納税地以外の工場等で行われている場合，主たる活動を行う工場等を納税地として指定するために設けられたものである。

③ 納税地の異動

法人は，納税地に異動があった場合，遅滞なく，異動前および異動後の納税地を記載した書面をもって，異動前および異動後の納税地の所轄税務署長に届け出なければならない（法20，令18）。

第2節　同族会社

法人税法上は，株式会社，合名会社，合資会社等という会社の種類による適用の違いはない。むしろ，その会社の支配関係の実質的な性格の違いによって，同族会社と非同族会社に区分し，個人的色彩の強い同族会社については，課税につき若干の特別考慮を払うのである。すなわち，同族会社（family corporation）については次の2つの課税上の特例がある。

(1) 留保金課税

(2) その行為または計算の否認

1　同族会社の意義

　同族会社とは、株主等の3人以下および株主等の同族関係者（株主等の特殊の関係ある個人および法人）が有する株式総数または出資金額が、発行株式総数または出資金合計（自己株式を除く）の50％を超える会社をいう（法2十）。

　要するに、会社の株主等の1人とその同族関係者とを合わせて1つのグループとし、3つ以下のグループの持分割合が50％超となる場合には、その会社は同族会社となる。したがって、株主等の人数は、実際の株主数でなく、異なる同族グループの数をいうのである。

　さらに、3つ以下のグループが、一定の議決権（事業全部譲渡・合併・分割等、役員の選任・解任、役員報酬・賞与等および剰余金の配当等に関する議決権）の50％超を有する場合も、同族会社と判定される（令4②③）。

　同族関係者には、次のとおり、個人と法人が含まれる（令4）。

(1) 同族関係者となる個人

　(イ) 株主等の親族（6親等内の血族、配偶者、3親等内の姻族〈民725〉）
　(ロ) 内縁の配偶者
　(ハ) 株主等の個人的使用人
　(ニ) 株主等から受ける金銭等によって生計を維持している者等
　(ホ) (イ)から(ニ)までに掲げる者と生計を一にするこれらの者の親族

(2) 同族関係者となる法人

　株主等の1人の持株割合が50％超である他の会社

　　（注）　なお、同族関係者となる法人を含めて持株割合が50％超となる、いくつかのケースについても定めがある。

（例1） 金沢株式会社の株主構成は次のとおりである。

株　主	株式数	持株割合		
金　沢　　博（社長）	3,000株	30％		
金　沢　春　子（金沢博の妻）	1,500株	15	} 1人60％	
金　沢　一　郎（金沢博の長男）	1,500株	15		} 3人83％
山　口　　明	1,200	12		
高　松　正　夫	1,100	11		

奈良　清	1,000	10
池田次郎	700	7
	10,000株	100%

　金沢博グループ（金沢博と同族関係者）が1人（1グループ）で60％の持株である。
　株主3人（金沢博グループ，山口明，高松正夫）で83％の持株であるため，金沢株式会社は同族会社となる。

（例2）　名古屋株式会社の株主構成は次のとおりである。

株　主	株式数	持株割合
滋賀信夫（社長）	4,000株	40％ ⎫ 1人70％
滋賀株式会社（滋賀信夫の持株割合は60％）	3,000	30 ⎭
高山正男	1,000	10 ⎫
岡山一郎	600	6 ⎬ 3人86％
山口久夫	500	5 ⎭
高知　宏	500	5
香川　正	400	4
	10,000株	100％

　滋賀信夫グループの持株割合は1人で70％である。持株3人（滋賀信夫グループ，高山正男，岡山一郎）で86％の持株であるため，名古屋株式会社は同族会社と判定される。

　同族会社のうち，非同族会社である株主を判定の基礎とするものは非同族の同族会社といい，留保金課税の対象にならない（法67①）。しかし，行為または計算の否認は適用される。この例としては，非同族会社の子会社がある。

（例3）　非同族会社である南北株式会社は，子会社東西株式会社の発行済株式総数の90％を所有している。この場合，東西株式会社は非同族の同族会社となる。

2　留保金課税，行為または計算の否認

　同族会社においては，同族株主の配当所得に対する課税との関係から，一般に留保割合が高く，結果として所得税の総合課税が延期されるため，一定額を超える利益留保金に対しては，特別税率による留保金課税が行われる（法67）。
　留保金課税は，同族会社のうち特定同族会社（1株主グループにより，持株比率が50％超，一定の議決権比率が50％超。資本金の額が1億円以下を除く。）に対して適用される（法67①②，令139の7②③）（第16章第2節参照）。
　さらに，同族支配のため個人的色彩が強く，租税負担を軽減するために不当な行為または計算が行われやすい。その弊害を防ぐため，税務署長は，法人税の負

担を不当に減少させる結果となると認められる同族会社の行為または計算を否認して，法人税の課税標準や法人税額を計算することができる（法132）。

否認される行為計算の類型には，次のものがある（旧基通355）。

(1) 現物出資資産の過大評価，(2) 社員所有資産の高価買入，(3) 法人所有資産の低価譲渡，(4) 個人的寄附金の負担，(5) 無収益資産の受入れ，(6) 過大給与，(7) 社員に対する用役贈与，(8) 社員に対する過大な利率および賃借料の支払い，(9) 不良債権の肩代り，(10) 債務の無償引受

《税務計画メモ》

① 法 人 成 り

個人企業から法人組織に変更することを法人成りという。わが国の法人の多くは中小法人であり，そして同族会社であることが多い。個人企業の事業所得が相当高額になった場合に法人成りが検討される。法人が個人企業に比べて有利な点には，次のことが考えられる。

(1) 税率が所得税においては超過累進税率（所得が増えるに従い税率が段階的に高くなる税率構造）であるのに対し，法人税は基本的には比例税率である。
(2) 個人企業において事業主報酬は原則として認められないが，法人においては役員報酬として損金になる。
(3) 同一生計内の親族に対して支出する金額は，個人企業では原則として必要経費とならない（青色専従者給与は必要経費になる）が，法人の場合には給与，個人所有の不動産の賃借料その他の支出が損金となる。
(4) 個人企業では，事業主に所得および財産が集中するが，法人では，株式等により持分が親族間に分散される。これは相続税対策として重要である。
(5) 経営者の世代交替は，法人ではその役員の交替により容易に行える。個人企業では，たとえば父から子に世代交替を行えば，父から子への贈与とみなされ，贈与税が課税されるという問題がある。

② 同 族 会 社

(1) 同族会社と個人株主との間の取引が，個人株主に経済的利益を与えるとともに法人の所得を不当に減少させる場合には，行為または計算の否認の対象となり，両者に重い租税負担をもたらす。したがって，両者間の取引の内容

は，無関係な第三者間の公正な取引内容に準じて，妥当な行為と金額であることが必要とされる。
(2) 大会社とその子会社（非同族の同族会社）との間の取引においても，売価の決定，無償贈与，利益操作等に関連して，行為または計算の否認が問題となることがある。両者間の取引は，いずれか一方を特に有利にするような内容でなく，無関係な他社との間で行われるのと同じ，公正な取引基準でなされる必要がある。

第3節　青色申告

　法人税は，法人が自らその所得金額と税額を算定して申告する，申告納税制度がとられている。適正な申告納税には，必要な会計帳簿を備え付け，すべての取引を記録し，正しい会計処理がなされる必要がある。そこで，正しい申告納税を裏付けるものとして，青色申告（blue return）制度が設けられている。青色申告書は青色の用紙を用いる申告書であり，青色申告を奨励する意味において，種々の特典が設けられている。

① 承認の申請

　青色申告法人となるためには，所轄税務署長の承認を受けることが必要である。青色申告の承認を受けようとする法人は，青色申告書を提出しようとする事業年度開始の日の前日までに，承認申請書を所轄税務署長に提出しなければならない（法122）。しかし，設立第1期の法人については，設立日から3カ月たった日とその事業年度終了の日とのいずれか早い日の前日までに，申請書を提出すればよい。

　税務署長は，青色申告書提出の承認申請書の提出があった場合には，申請法人に対し，書面で承認または却下の通知をする。その事業年度終了日までに承認または却下の通知がなかったときは，青色申告の承認があったものとみなされる（法122，124，125）。

② 備え付ける帳簿書類

青色申告法人は，仕訳帳および総勘定元帳等所定の帳簿を備え，一切の取引を複式簿記の原則に従って，整然，かつ，明りょうに記録し，その記録に基づいて決算を行わなければならない（規53，54）。決算においては，棚卸表，貸借対照表および損益計算書を作成しなければならない（規56，57）。帳簿書類は整理して，7年間保存しなければならない（規59）。

③ 承認の取消しと取りやめ

青色申告法人について，不正な記帳があり，記載事項に真実性を疑うに足りる相当な理由がある場合等には，所轄税務署長は，その事実にあった事業年度までさかのぼって，その承認を取り消すことができる（法127①）。

青色申告法人が青色申告を取りやめようとするときは，取りやめようとする事業年度終了の日の翌日から2カ月以内に，取りやめの届出書を所轄税務署長に提出しなければならない（法128）。

④ 青色申告の特典

青色申告法人に認められている特典の主なものは，次のとおりである。

- (1) 準備金の積立て
- (2) 特別償却
- (3) 欠損金の繰越控除
- (4) 欠損金の繰戻し還付
- (5) 法人税額の特別控除（例：試験研究を行った場合の法人税額の特別控除）
- (6) 推計課税の禁止
- (7) 更正理由の付記

《税務計画メモ》

法人は誠実な申告を前提とするならば，当然に青色申告を行うべきであり，準備金，特別償却，特別税額控除，欠損金の繰戻しおよび繰越等の青色申告の特典を有効に利用することが必要である。

第3章 各事業年度の所得金額

1 所得金額の計算

各事業年度の所得に対する法人税の課税標準は,「各事業年度の所得の金額」である(法21)。「各事業年度の所得の金額」は,その事業年度の「益金の額」から「損金の額」を控除した金額である(法22①)。

　　益金額－損金額＝所得金額

① 益金の額

益金の額とは,別段の定めがあるものを除き,資産の販売,有償または無償による資産の譲渡または役務の提供,無償による資産の譲受けその他の取引で,資本等取引以外のものに係る事業年度の収益の額である(法22②)。

資産の販売とは棚卸資産の売上のことである。有償による資産の譲渡は固定資産譲渡収入がその例である。

(例1)　得意先Aに対し,商品2,000,000円(売価)を販売し,代金は現金にて受け取った。売上高2,000,000円は益金の額に算入される。
　　〈仕　訳〉
　　　(借)　現　　　　金　2,000,000　　(貸)　売　　　　上　2,000,000

無償による資産の譲渡は,固定資産の贈与がその例である。この場合には,通常収入すべき金額が益金の額に含まれる。

(例2)　取得価額1,000,000円,時価3,000,000円の土地を無償で譲渡した。
　　〈仕　訳〉
　　　(借)　寄　附　金　3,000,000　　(貸)　土　　　　地　1,000,000
　　　　　　　　　　　　　　　　　　　(貸)　土地譲渡益　2,000,000

(注)　益金および損金の定義を厳密に適用すれば,仕訳は次のとおりとなる。

```
(借) 寄  附  金  3,000,000    (貸) 土地売却収入  3,000,000
(借) 土地売却原価  1,000,000    (貸) 土      地  1,000,000
```

役務の提供は，建築請負等による収入をいう。

無償による資産の譲受けは，受贈益がその例である。

(例3) 土地（時価3,000,000円）を無償で譲り受けた。

〈仕 訳〉

```
(借) 土      地  3,000,000    (貸) 受 贈 益  3,000,000
```

益金の額に関する別段の定めの例としては，受取配当金，評価益，還付法人税等の益金不算入の規定がある。

② 損金の額

損金の額に算入すべき金額は，別段の定めがあるものを除き，次に掲げるものとする（法22③）。

(1) その事業年度の収益に対する売上原価，完成工事原価その他これらに準ずる原価の額

(2) その事業年度の販売費，一般管理費その他の費用の額。この費用には償却費以外の費用でその事業年度終了日までに債務の確定しないものを除く。

(3) その事業年度の損失の額で資本等取引以外の取引に係るもの

上記(2)の諸経費について，外部取引に係るものにはその事業年度末に債務が確定することが要件とされるため，引当金の計上額は，別段の定めがあるものを除き，損金の額に算入されない。減価償却費は，債務の確定とは無関係に内部計算として生ずるものであるので，一定の見積りにより損金の額に算入される。

この場合の「債務の確定」は，次の要件のすべてに該当するものとする（基通2-2-12）。

(1) その事業年度終了日までにその費用にかかる債務が成立していること。

(2) その事業年度終了日までにその債務に基づいて具体的な給付をすべき原因となる事実が発生していること。

(3) その事業年度終了日までにその金額を合理的に算定することができるものであること。

損金の額に関する別段の定めの例としては，資産の評価損，役員給与，寄附金および法人税等の損金不算入，圧縮記帳，引当金および繰越欠損金の損金算入等

の規定がある。

③　一般に公正妥当と認められる会計処理基準

　各事業年度の益金の額に算入すべき収益の額および損金の額に算入すべき売上原価，販売費，一般管理費その他の費用および損失の額は，一般に公正妥当と認められる会計処理の基準に従って計算されるべきである（法22④）。これは，税法に定めのないものについては，公正処理基準に従って課税所得が算定されるべきことを，確認した規定である。

　ここで示された公正処理基準とは，客観的な規範性を持つ企業の会計慣行のうち，公正な課税所得計算に適合するものをいう。この規定は，複雑にして変動的な経済事象を反映する課税所得計算の総てを税法に定めることが困難であるため，財務会計における公正処理基準を尊重するという主旨を反映したものである。

④　資本等取引の除外

　資本等取引については，益金の額および損金の額の発生原因から除外されている（法22②③）。資本等取引とは次のものをいう（法22⑤）。
　(1)　法人の「資本金等の額」の増加または減少を生ずる取引
　(2)　法人が行う利益または剰余金の分配（中間配当を含む）
　この場合における「資本金等」とは，株主等から出資を受けた金額をいう（法2十六）。
　この規定は，損益取引と資本等取引を適切に区分するためのものである。

2　決算利益と所得金額の関係

①　確定決算と申告調整

　法人の所得計算は，具体的には，法人の会計記録を通して行われる。すなわち，その所得金額および税額の申告は，各事業年度終了の日の翌日から2カ月以内に，「確定した決算に基づいて」行われなければならない（法74）。確定した決算とは，株主総会等において承認されたものをいい，その財務諸表における当期

純利益を基礎として，課税標準である所得金額と法人税額の計算を行うのである。

税法の所得金額は，益金より損金を控除するのであるが，企業会計原則・企業会計基準および会社法における収益・費用と税法上の益金・損金とは必ずしも一致しない。すなわち，財務会計上は収益（revenues）であっても税法上益金とならないもの（益金不算入，例．受取配当金）もあり，財務会計上は費用（expenses）であっても税法上損金とならないもの（損金不算入，例．罰科金）もある。したがって，法人税の申告書（return）において，財務諸表に示された当期純利益に，損金不算入の費用を加算し，益金不算入の収益を減算して，課税標準たる所得金額を算出するのである。

（例4）　当期の損益計算書は，次のとおりである。ただし，税法上益金不算入の収益50万円，損金不算入の費用100万円がある。所得金額を示しなさい。

損　益　計　算　書

費　　用	800万円	収　　益	1,000万円
当期純利益	200万円		
	1,000万円		1,000万円

〈答〉
　当期純利益　　200万円（株主総会等にて確定した金額）
　（加算）
　損金不算入費用　＋100万円
　（減算）
　益金不算入収益　－50万円
　所　得　金　額　　250万円（課税標準）

さらに，上記以外に，企業の会計処理において収益として計上されていないが税法上益金となるもの（例．剰余金の処分による特別償却準備金の取崩し），費用として処理されていないが税法上損金に算入される項目（例．納税充当金から支出した事業税）がある。これらの金額は，所得計算上，前者は益金算入として加算され，後者は損金算入として減算されるのである。

これらの関係を示せば，次頁のとおりとなる。

このように，収益・費用と益金・損金の相違項目を，当期純利益に加算・減算して，所得金額を算出する手続きを，申告調整という。所得金額の計算に当たっ

```
損益計算書  （会計処理）   収　　益
                        － 費　　用（損金経理）
                          当期純利益（確定した決算に基づくもの）
                        ＋（加算）
法人税申告書（申告調整）   損金不算入費用額
                          益金算入額（収益計上なきもの）
                        －（減算）
                          益金不算入収益額
                          損金算入額（費用計上なきもの）
                          所得金額
```

ては，いかなる項目が益金となり，損金となるか，収益・費用との関係がいかなるものであるかを知って，申告調整を行うことが必要である。

　税法では損金算入に関して，損金経理を要件とするものが多い。損金経理とは，法人がその確定した決算において費用または損失として経理することをいう（法２二十五）。すなわち，会計処理の段階において，費用に計上されていることを前提として，所得計算上の損金に認めるわけである。したがって，決算確定以前の段階で，税法の計算規定に十分な考慮を払いつつ，会計処理が行われる必要がある。損金経理要件が満たされなければ，不必要な租税負担を招くおそれもありうる。ここに，税法の企業会計実務への大きな影響力があるわけである。

②　損金経理事項と申告調整事項

　損金経理をした場合にのみ損金算入が認められる事項の例としては，減価償却費，繰延資産の償却費，評価損，使用人兼務役員の使用人分賞与，圧縮記帳，引当金，準備金等の損金算入がある。

　申告調整事項には，その適用を法人に選択させるものと，法人の意思にかかわりなく申告調整を強制されるものとがある。

　任意の申告調整事項としては，受取配当金の益金不算入，収用換地等の場合の所得の特別控除等がある。

　申告調整が強制される事項の例としては，還付法人税等の益金不算入，過大役員給与の損金不算入，寄附金の損金不算入，交際費等の損金不算入，法人税等の損金不算入，引当金および準備金の繰入超過額の損金不算入，減価償却超過額の損金不算入，青色申告年度の欠損金の繰越控除等がある。

第 II 部

益金・損金論

第 II 部のねらい

益金・損金論（第 4 章〜15 章）

　課税対象になる所得金額は，益金から損金を控除して，算定される。したがって，益金とは何か，損金とは何かを理解する必要があり，益金・損金の各項目別にその計算規定を検討することが必要になる。第 II 部では，重要な益金項目，損金項目につき，税務上の取扱いの概要を説明するとともに，具体的な計算例による理解を重視している。益金項目として，売上，受取配当金等を取り上げ，損金項目として，売上原価，減価償却費，役員給与，寄付金，交際費等，租税公課等，関連項目として，有価証券，リース，引当金・準備金等，を取り扱っている。

第4章 販売・請負等の収益

第1節　販　売　収　益

1　棚卸資産の販売による収益帰属の時期

　棚卸資産の販売による収益の額は，その引渡しがあった日の属する事業年度の益金に算入する（基通2-1-1）。

　この場合「引渡し」という販売基準の時期が問題となる。引渡しの日とは，たとえば，出荷日，相手方による検収日，相手方において使用収益ができることとなった日，検針等により販売数量を確認した日等，棚卸資産の種類，性質，契約内容等に応じて，引渡しの日として合理的であると認められる日で，法人が継続してその収益計上を行っている日をいう。

　この場合に，その棚卸資産が土地または土地の上に存する権利であり，その引渡しの日が明らかでないときは，次のいずれか早い日を引渡しのときとする（基通2-1-2）。

(イ)　代金の相当部分（おおむね50％以上）を収受した日

(ロ)　所有権移転登記の申請日

(例1)　当社（事業年度1月1日から12月31日）は，第1期の12月30日に南海株式会社へ売価10,000,000円の商品を引き渡し，代金は第2期の1月20日に代金を回収した。売上10,000,000円は，販売商品が引き渡された第1期の12月30日に，益金に算入される。

2 委託販売

委託販売とは，委託者が棚卸資産の販売につき受託者に委託する販売形態をいう。委託者は委託商品を積送品として発送し，受託者は受け取った商品につき販売を行う。したがって，委託者による商品の発送の時点では売上に計上できない。委託販売による売上高は，その委託品について受託者が販売した日に売上があったものとして益金に算入される。ただし，委託品についての売上計算書が売上の都度作成されている場合で，委託法人が継続してその売上を売上計算書の到達日に益金に算入しているときは，その処理が認められる。（基通2-1-3）。

(例2) A商事株式会社はB商店へ委託商品（原価700,000円）を2月10日に発送した。B商店より，3月30日に商品を1,000,000円にて売却した旨の売上計算書が，4月5日に到着した。A商事株式会社の決算日は毎年3月末日であり，今回の決算は第1期目である。

(イ) 原則
売上高1,000,000円は第1期の3月30日に益金に算入される。
(ロ) 売上計算書がその都度作成され，継続してその到達日に売上に計上している場合
売上高1,000,000円は第2期の4月5日に計上される。

3 長期割賦販売等

長期割賦販売等については，通常の販売と異なり，その代金回収期間が長期にわたり，かつ，貸倒れ，代金回収費，アフターサービス費等の費用が発生する。そのため，長期割賦販売等に関する収益の認識を慎重に行うため，長期割賦代金の支払期日（回収期限）の到来の日をもって，売上収益実現の日とするものである。

内国法人が，長期割賦販売等により，資産の販売等（資産の販売・譲渡，工事の請負または役務の提供）を行った場合，確定した決算において延払基準の方法により経理したときは，その収益および費用の額は，税法上において，益金および損金の額に算入される（法63①，令124）。

長期割賦販売等は，次の要件を必要とする（法62②，令126）。

(1) 月賦，年賦その他賦払の方法により3回以上に分割して対価を受けるこ

と。
(2) 延払期間(販売日等の期日の翌日から最終賦払期日までの期間)が2年以上であること。
(3) 頭金の額が売上金額(資産の販売等の額)の3分の2以下であること。

その算式は次のとおりであり,代金の支払期限到来額に応じて,利益または損失を計上する(令124)。

$$長期割賦販売等売上等 \times \frac{当期支払期日到来額}{長期割賦販売等売上高} = 当期収益計上額$$

$$長期割賦販売等の売上原価(販売手数料を含む) \times \frac{当期支払期日到来額}{長期割賦販売等売上高} = 当期費用計上額$$

当期収益計上額 − 当期費用計上額 = 当期延払基準利益(または損失)

(例3) A社に対する長期割賦販売等売上高は10,000,000円であり,その売上原価および販売手数料は6,000,000円である。第1期(販売年度)における回収高(第1期支払期日到来高に一致している)は現金3,000,000円である。第1期における長期割賦販売等の延払基準による利益を計算しなさい。

長期割賦販売等の売上総利益合計　10,000,000円 − 6,000,000円 = 4,000,000円

第1期の実現利益　　　　　$4,000,000円 \times \frac{3,000,000円}{10,000,000円} = 1,200,000円$

第1期末未実現利益　　　　4,000,000円 − 1,200,000円 = 2,800,000円

(例4) 第2期において,A社に対する長期割賦売掛金のうち1,000,000円(第2期支払期日到来高に一致している)を現金で回収した。第2期における仕訳を示しなさい。

第2期の実現利益　　$4,000,000円 \times \frac{1,000,000円}{10,000,000円} = 400,000円$

4　試用販売

試用販売とは,商品を相手方に仮に送付し,相手方が購入の申し出をしたときに売買が成立する販売形式をいう。したがって,試用販売商品の売上は,相手方が購入の意思を示した日に計上される。

(例5)　甲社に対し,前期に商品(売価1,000,000円)を仮に送付した。当期に甲社より購入の申し出があった。なお,代金は掛とした。

〈仕　訳〉
送付時(前期)　　　　　仕訳なし
購入申し出日(当期)　(借)　売掛金　1,000,000　(貸)　売　上　1,000,000

5 予約販売

予約販売（sale by subscription）は，商品の販売につき予約をとり，あらかじめ予約金を徴収しておき，その後に商品の引渡しを行う販売形式をいう。予約販売における売上の計上は，商品を予約者に引き渡したときに行う。

(例6) 当社は雑誌を出版している。当年2月28日年間購読料24,000円を現金にて受け取った。3月20日に雑誌第1号（売価2,000円）を完成し，発送した。当社の決算期は3月末である。

〈仕 訳〉

2月28日（購読予約金受取日）（借）現　金　24,000　（貸）前受金　24,000
3月20日（商品発送日）　　　　（借）前受金　 2,000　（貸）売　上　 2,000

6 商品引換券等

法人が商品の引渡し等を約した証券等（商品券，ビール券，お仕立券等）を発行して対価を受領した場合，商品引換券等の発行年度の益金に算入する。

ただし，法人が商品引換券等を発行年度ごとに区分し，その対価の額を商品の引渡し年度の収益に計上し，発行年度後3年を経過した日に商品引渡しが未了分の商品引換券等の対価を収益に計上することについて，あらかじめ所轄税務署長の確認を受け，継続的に収益計上を行っている場合は，その処理が認められる（基通2-1-33）。

なお，発行時に収益計上する場合は，発行年度およびその後3年間の各年度末において，未引換券残高についての引換原価を見積り計上することができる（基通2-2-11）。

(例7) ①東海百貨店は，当期に商品券100万円を発行し，代金を現金にて受け取った。
②当期に商品券と引換に販売した商品は，売価で98万円である。
③商品券発行後3年を経過したが，2万円につき引換がない。

東海百貨店は，商品引渡し年度の収益計上と3年経過後の未引換商品券の収益計上につき，所轄税務署長の確認を受けている。

〈仕 訳〉

①商品券発行時　　　（借）現　　金　1,000,000　（貸）商品券　1,000,000
②商品券引換時　　　（借）商品券　　　980,000　（貸）売　上　　980,000
③3年経過未引換時　（借）商品券　　　 20,000　（貸）雑　益　　 20,000

(例8) 上例において，商品引渡し年度の収益計上と3年経過後の未引換商品券の収益計上を行わない場合の処理を示しなさい。
〈仕　訳〉
①商品券発行時　　　（借）　現　　金　1,000,000　（貸）　商品券売上　1,000,000
②　　　　　　　　　　　　　仕訳なし
③　　　　　　　　　　　　　仕訳なし

《税務計画メモ》

長期割賦販売等において，延払基準を採用すれば，利益が繰り延べられ，課税が支払期日（回収期限）まで延期されるから，法人にとっては有利となる。

第2節　請負による収益

1　完 成 基 準

請負とは，当事者の一方がある仕事を完成することを約し，相手方がその仕事の結果に対してこれに報酬を与えることを約するものである（民法632）。税務において，請負による収益の額は，物の引渡しを要する請負契約（建設工事等）にあってはその目的物の全部を完成して相手方に引渡した日，物の引渡しを要しない請負契約（運送契約等）にあってはその役務の全部を完了した日の属する事業年度に益金に算入する（基通2-1-5）。

要するに，請負による損益の計上は，原則として，完成基準によってなされ，その物の全部の完成引渡しの日，役務の全部の提供を完了した日を含む事業年度に行われる。

(例1)　株式会社A工務店（決算期毎年3月）は，第1期の3月20日に建設工事8,000万円を請負契約し，第2期の同年10月20日に，請負工事の全部を完成して発注先に引渡しを行った。益金の計上時期と金額を示しなさい。
〈答〉
第2期　10月20日完成工事高8,000万円を益金に算入する。

2 工事進行基準

　工事進行基準は，各事業年度の企業活動の状況を工事進行度合に応じて各事業年度の利益計上に反映させるものであり，国際的にも普及している方法である。工事進行基準は，長期大規模工事については，その着工事業年度から，完成引渡事業年度前の各事業年度において，各年度における工事の進行程度に応じて各事業年度の利益計上を行い，確定利益との差額を引渡事業年度で調整する方法である。この場合の進行度合は，見積工事原価に対する各年度の投入原価の割合による（法64①，令129）。

　長期大規模工事の要件は，次のとおりである（法64①，令129）。

① 　工事着工日から目的物引渡期日までの期間が1年以上
② 　請負対価が請負金額10億円以上
③ 　請負金額の1/2以上が引渡期日から1年後に支払われるものでないこと

　工事進行基準による各年度における計上利益の算式は，次のとおりである（法64①，令129）。

(イ)　各事業年度（引渡事業年度を除く）の計上利益

$$\left(\begin{array}{l}\text{長期工事の}\\ \text{対価の額}\end{array}\right) - \left(\begin{array}{l}\text{各事業年度末における}\\ \text{工事原価の見積額}\end{array}\right) = \text{長期工事の見積利益}$$

$$\left(\begin{array}{l}\text{その事業年度末の現}\\ \text{況によるその長期工}\\ \text{事見積工事利益}\end{array}\right) \times \dfrac{\left(\begin{array}{l}\text{着工事業年度からその事業年}\\ \text{度までに要したその長期工事}\\ \text{の工事原価の合計額}\end{array}\right)}{\left(\begin{array}{l}\text{その事業年度末の現況による}\\ \text{その長期工事の見積工事原価}\end{array}\right)} - \left(\begin{array}{l}\text{前事業年度末ま}\\ \text{でに計上した予}\\ \text{想工事利益}\end{array}\right)$$

$$= \text{その事業年度の計上利益}$$

(ロ)　引渡事業年度の計上利益

$$\text{長期工事の確定工事利益} - \left(\begin{array}{l}\text{引渡事業年度の前の各事業}\\ \text{年度において計上したその}\\ \text{工事の予想工事利益合計}\end{array}\right) = \text{引渡事業年度の計上利益}$$

　　（注）　このほか，部分完成基準に関する処理が示されている（基通2-1-9）。

(**例2**)　A建設会社の長期大規模工事（請負高200億円）の進行状況は次のとおりである。これについて，工事進行基準を適用して各事業年度（決算期12月末）の工事利益高を示しなさい。

(1)　第11期1月10日着工
(2)　第11期12月31日までの発生工事原価48億円（このときの予想工事総原価160億円）
(3)　第12期12月31日までの発生工事原価累積高132億円（このときの予想工

事総原価 165 億円）
(4) 第 13 期 10 月 31 日（完成日）までの発生工事総原価 168 億円
〈答〉
(1) 第 11 期 12 月 31 日における工事利益計上額
（200 億円 − 160 億円）× $\dfrac{48 \text{億円}}{160 \text{億円}}$ = 12 億円
(2) 第 12 期 12 月 31 日における工事利益計上額
（200 億円 − 165 億円）× $\dfrac{132 \text{億円}}{165 \text{億円}}$ − 12 億円 = 16 億円
(3) 第 13 期 10 月 31 日における工事利益計上額
200 億円 − 168 億円 −（12 億円 + 16 億円）= 4 億円

第 3 節　販売関連損益

1　売上割戻し

売上割戻し（sales rebate）は，一定期間内に多額または多量の取引をした得意先に対する売上代金の返戻額をいう（財規ガイドライン 72-1-2）。

売上割戻しの金額の計上時期は，原則として，次に掲げる事業年度とする。

(1) その算定基準が販売価額または販売数量によっており，かつ，その算定基準が契約その他の方法により相手方に明示されている場合は，販売事業年度に計上する。
(2) (1)に該当しない場合，その売上割戻しの金額の通知または支払をした日の属する事業年度に計上する（基通 2-5-1，但し書きの内容省略）。

（例 1）　A 株式会社は，得意先 B 株式会社に対する当期売上高 1,000 万円に対し，1% の売上割戻しを期末に売掛金より控除して計上した。その算定基準は B 株式会社に明示されている。
　　〈仕　訳〉
　　当期末に計上　（借）売上割戻し　100,000　（貸）売掛金　100,000

2　仕入割戻し

仕入割戻しは，一定期間内に多額または多量の取引をした仕入先から受ける仕入代金の返戻額をいう。

仕入割戻し（purchase rebate）の計上時期は，次のとおりである（基通 2-5-4）。

(1) その算定基準が購入価額または購入数量によっており，かつ，その算定基準が契約その他の方法により明示されている仕入割戻しについては，購入した日の属する年度
(2) (1)に該当しないものは，その仕入割戻しの金額の通知を受けた日の属する事業年度

(例2) B株式会社は，仕入先A株式会社よりの当期仕入高1,000万円に対し，1%の仕入割戻しを期末買掛金より控除して計上した。その算定基準はA株式会社より明示されている。

〈仕　訳〉
当期末に計上　（借）　買掛金　100,000　（貸）　仕入割戻し　100,000

3　固定資産の譲渡損益

　固定資産の譲渡による収益の額は，別に定めるものを除き，その引渡しがあった日の属する事業年度の益金に算入する。ただし，その固定資産が土地，建物等である場合，法人がその固定資産の譲渡契約の効力発生の日の属する事業年度の益金の額に算入することも認められる（基通2-1-14）。

《税務計画メモ》
(1) 販売促進費としては，損金不算入割合の多い交際費等より，売上割戻しを用いる方が税務上有利である。
(2) 売上割戻しの計上には算定基準を明確にすることが重要である。その計上時期には，販売年度，通知日，支払日があるが，早期損金算入の面から，販売年度に計上できるよう配慮することが法人にとり有利である。

第5章
棚卸資産と売上原価

1 売上原価の算定と棚卸資産

　仕入は利益を付して販売することを目的として行われる。したがって，仕入は売上に対する費用となるのであるが，当期に仕入れたものが全額当期に販売されず，一部は棚卸資産（inventories）として残る。残った棚卸資産は，翌期に販売される故，翌期の費用として当期の費用より除外する必要がある。当期の売上に対する費用である売上原価（cost of goods sold）は，次の算式により示される。

　期首棚卸資産有高＋当期仕入高（または当期製品製造原価）－期末棚卸資産有高
　＝売上原価

　（例1）　次の売上原価および売上総利益を計算しなさい。
　　　　期首棚卸資産有高　　1,000,000円　　　当期仕入高　10,000,000円
　　　　期末棚卸資産有高　　3,000,000円　　　当期売上高　15,000,000円
　　〈答〉
　　　　（期首棚卸資産有高）（当期仕入高）（期末棚卸資産有高）（売上原価）
　　　　　1,000,000円　＋　10,000,000円　－　3,000,000円　＝　8,000,000円
　　　　（売　　上）　　（売上原価）　　（売上総利益）
　　　　　15,000,000円　－　8,000,000円　＝　7,000,000円

　期末棚卸資産の金額の確定（評価）が売上原価を決定し，利益に対して大きな影響を与える。したがって，所得計算上，棚卸資産の評価（inventory valuation）は重視され，税法においては，その評価方法を詳細に定めている。

　法人税法における棚卸資産とは，次に掲げる資産（有価証券を除く）をいう（法2二十，令10）。

　(1)　商品または製品（副産物および作業屑を含む）
　(2)　半製品
　(3)　仕掛品

(4) 主要原材料
(5) 補助原材料
(6) 消耗品で貯蔵中のもの
(7) 上記に掲げる資産に準ずるもの

2 評 価 方 法

法人税法は，棚卸資産の評価方法として，次の2つを定めている（令28①）。
(1) 原 価 法　(2) 低 価 法

原価法とは，棚卸資産の評価を取得価額をもって行う方法である。低価法とは，原価と時価（その取得のために通常要する価額）のうち，いずれか低い価額をもってその評価額とする方法である。したがって，低価法の場合においても，時価と比較するものとしての原価法による評価額を必要とする。

① 原 価 法

棚卸資産はその仕入の時期が異なることによって，同一資産であってもその取得価額を異にする。したがって，原価法は，具体的には次のいずれかの方法によって，その取得価額を計算する（令28①一）。

(イ) 個 別 法　(ロ) 先入先出法　(ハ) 総 平 均 法
(ニ) 移動平均法　(ホ) 最終仕入原価法　(ヘ) 売価還元法

各々の方法について，次の商品売買の設例（決算期12月31日）に基づき，具体的に説明を行うこととする。

(設 例)

(月日)	(摘要)	(増	加)		(減少)	(残高)
1/1	前月繰越	100個	@100円	10,000円		100個
4/4	仕　入	100	@110	11,000		200
6/6	販　売				100個	100
8/8	仕　入	150	@120	18,000		250
10/10	販　売				100	150
12/12	仕　入	50	@130	6,500		200
		400		45,500	200	

　　　　　{ 前期繰越　100個　　　10,000円
　　　　　{ 当期仕入　300　　　　35,500

(イ) 個 別 法

　これは，期末棚卸資産の全部について，その個々の取得価額をもって評価する方法である。

　設例において，期末棚卸資産の 200 個が，1/1 前期繰越の @100 円のものが 50 個，8/8 @120 円のものが 100 個，12/12 取得の @130 円のものが 50 個よりなることが個別に把握できたとすれば，期末の評価額および売上原価は次のとおりとなる。

```
　　　1/1    @100 円   50 個    5,000 円
　　　8/8    @120     100     12,000
　　　12/12  @130      50      6,500
                      200     23,500    期末棚卸高

期首棚卸高    当期仕入高     期末棚卸高    売上原価
10,000 円 ＋ 35,500 円 － 23,500 円 ＝ 22,000 円
```

　しかし，多くの場合，多量の同一資産について個別法を採用することは困難であり，個別法は単価が高く，取引数量の少ない資産にしか適合しない。

　税法においては，通常一つの取引によって大量に取得され，かつ，規格に応じて価額が定められているものについては，この方法の選定を認めていない（令28③）。これは，個別法による評価額の操作を防ぐためである。したがって，実際には，次に述べる先入先出法以下の評価方法が使われている。

(ロ) 先入先出法

　これは，先に購入した単価の資産が先に販売され，後から購入したものが残っていると考える方法である。したがって，期末棚卸資産は事業年度終了時より最も近い時に取得した資産から順次成るものとする。設例によれば次のとおりとなる。

```
　　　12/12   @130 円   50 個    6,500 円
　　　8/8     120      150     18,000
                       200     24,500    期末棚卸高

10,000 円 ＋ 35,500 円 － 24,500 円 ＝ 21,000 円   売上原価
```

(ハ) 総 平 均 法

　これは，期末棚卸資産の評価を，前期繰越資産と仕入資産の総平均価額で行うものである。算式を示せば，次のとおりである。

$$\frac{期首棚卸資産評価額＋当期仕入高}{期首棚卸資産数量＋当期仕入数量}＝総平均原価$$

設例により説明すれば，次のとおりである。

$$\frac{10,000円+35,500円}{100個+300個}=113.75円 \quad 総平均単価$$

　　113.75円×200＝22,750円　期末棚卸高
　　10,000円＋35,500円－22,750円＝22,750円　売上原価

(ニ)　移動平均法

　これは，仕入の都度，平均単価を計算する方法である。すなわち，棚卸資産を取得した場合，取得の時に有する棚卸資産と取得した棚卸資産との数量および取得価額を基礎として平均単価を計算する。そして事業年度終了時より最も近い時に出された平均単価をもって，1単位当たりの取得価額とし，期末棚卸高の評価を行うのである。設例により説明すれば，次のとおりである。

	（増	加）	（減少）	（残	高）	
1/1	100個	@100円	10,000円	100個	@100円	10,000円
4/4	100	110	11,000	200	@105[1]	21,000
6/6			100個	100	@105	10,500
8/8	150	120	18,000	250	@114[2]	28,500
10/10			100	150	@114	17,100
12/12	50	130	6,500	200	@118[3]	23,600　期末棚卸高

　　10,000円＋35,500円－23,600円＝21,900円　売上原価
　　1) 21,000円÷200＝105円　2) 28,500円÷250＝114円　3) 23,600円÷200＝118円

(ホ)　最終仕入原価法

　これは，その事業年度における最終の仕入の時における仕入単価をもって評価する方法である。設例により説明すれば，次のとおりとなる。

　　最終仕入原価　12/12　@130円
　　130円×200＝26,000円　期末棚卸高
　　10,000円＋35,500円－26,000円＝19,500円　売上原価

　これは，原価法というよりは時価法に近い考え方であるが，その単価の把握が容易なところから，実務的には便利である。

(ヘ)　売価還元法

　これは，売価によって棚卸高を把握し，それに原価率（売上高の中に占める原価の割合）を掛け合わせて，評価額を決定しようとするものである。すなわち，その種類等または差益率を同じくする棚卸資産ごとに，その通常の販売価額の総額に原価率を乗じて計算した金額を，期末棚卸高とするものである。算式を示せば，次のとおりである。

期末棚卸資産の通常の販売価格の総額×原価率＝期末棚卸高

$$原価率 = \frac{期首棚卸資産取得価額＋当期仕入高}{当期売上高＋期末棚卸資産売価評価高}$$

設例において，期末棚卸資産の残高は200個となっているが，この売価評価額が28,000円とする。さらに，当期中の売上高が37,000円であったとすると，期末棚卸高は次のとおりである。

$$\frac{10,000円＋35,500円}{37,000円＋28,000円} = 0.7 \quad 原価率$$

28,000円×0.7＝19,600円　期末棚卸高

10,000円＋35,500円－19,600円＝25,900円　売上原価

（注）　平成21年度税制改正により後入先出法と単純平均法が廃止された。

② 低　価　法

低価法は，前述した方法のいずれかによって算出された原価と，その事業年度終了の時における価額（時価）とのうち，いずれか低い価額をもってその評価額とする方法をいう（令28①二）。

設例において低価法を採用する場合，棚卸資産の数量200個，原価（総平均法）が＠113.75円，時価が＠110円とすれば，計算は次のとおりとなる。

　　原価法（総平均法）による評価額　　113.75円×200＝22,750円
　　時価による評価額　　110円×200＝22,000円
　　いずれか低い方の額　　時価　22,000円　期末棚卸高
　　10,000円＋35,500円－22,000円＝23,500円　売上原価

（注）　所轄税務署長の承認を受けて，原価法・低価法以外の棚卸資産の特別な評価の方法を選定することができる（令28の2）。

③ 棚卸資産の評価の方法の選定

法人は，棚卸資産の評価方法につき，原価法に定められた，いずれか1つを選定しなければならない。低価法の場合も，時価と比較する原価法について，いずれか1つを選定しなければならない。この場合には，法人の営む事業の種類ごとに，さらに次の5つの区分ごとに評価方法を選定しなければならない（令29①）。

(イ)　商品または製品（副産物および作業屑を除く）

(ロ)　半製品

(ハ)　仕掛品（半成工事を含む）

(ニ)　主要原材料

㈱　補助原材料その他の棚卸資産

　評価方法の選定は，法人が設立した年度の確定申告の提出期限までに，書面により納税地の所轄税務署長に提出しなければならない。また，設立後新たに他の種類の事業を開始しまたは事業の種類を変更した法人は，それらの年度の確定申告の提出期限までに，よるべき方法を書面にて届け出なければならない（令29②）。

④　棚卸資産の法定評価法

　法人が評価方法の選定をしなかった場合または実際にその選定した方法により評価しなかった場合は，最終仕入原価法による原価法によっているとみなされる（法29①，令31①）。

⑤　棚卸資産の評価方法の変更

　法人は選定した棚卸資産の評価方法を変更しようとするときは，変更しようとする事業年度の開始日の前日までに，変更しようとする理由その他の事項を記載した申請書を，納税地の所轄税務署長に提出しなければならない（令30①，②）。

　変更申請書の提出があった場合，その法人が現によっている評価法を採用してから相当期間を経過していないとき，または変更しようとする評価方法によっては，その法人の所得金額の計算が適正に行われがたいと認めるときは，税務署長はその申請を却下することができる（令30③）。

3　棚卸資産の取得価額

①　資産区分別の取得価額

　棚卸資産の取得価額は，別段の定めがあるものを除き，次の資産区分に応じ掲げられた金額の合計とする（令32①）。

(A)　購入した棚卸資産
　(イ)　購入代価
　(ロ)　引取運賃，荷役費，運送保険料，購入手数料，関税その他購入のために要した費用

(ハ)　取得資産を消費しまたは販売の用に供するために直接要した費用の額
(B)　自己の製造等に係る棚卸資産
　(イ)　その資産の製造等のために要した原材料費，労務費および経費の額
　(ロ)　その資産を消費しまたは販売の用に供するために直接要した費用の額
　　(注)　合併等・贈与等による受入棚卸資産についても定めがある。

②　購入棚卸資産の取得価額に算入しなくてもよい少額費用

　買入事務等の費用，販売所等へ移管運賃等，長期保管費用等の合計が，少額（その棚卸資産の購入代価のおおむね 3% 以内の金額）である場合には，購入棚卸資産の取得価額に算入しないことができる（基通 5-1-1）。

　　(注)　このほか，棚卸資産の取得価額に算入しないことができる費用として，借入利子等がある（基通 5-1-1 の 2）。

③　製造等棚卸資産の取得価額に算入しなくてもよい少額費用

　製造後の検査費用等，販売所等への移管運賃等，長期保管費用等の合計が，少額（製造原価のおおむね 3% 以内）である場合には，製造等棚卸資産の取得価額に算入しないことができる（基通 5-1-3）。

　　(注1)　このほか，製造原価に算入しないことができる費用として，特別支給の使用人賞与（例．創立何周年記念賞与），特別償却費および陳腐化償却費，棚卸資産の評価損（通常の評価損は除く）および低価法切下額，事業税，事業閉鎖等による使用人退職給与，税務否認金，借入利子等がある（基通 5-1-4）。
　　(注2)　原価差額の調整　　法人の原価計算においては，実際原価計算のほか標準原価計算または予定原価計算が行われることがある。この場合，標準原価または予定原価が実際原価と異なり，その差額は，原価差額といわれる。税法は，棚卸資産の評価において実際原価によることとしているため，このような原価差額は，実際原価に基づくよう調整しなければならない。

第6章
固定資産と減価償却費

1 税務減価償却の意義

　法人税法において，減価償却費として各事業年度の所得金額の計算上損金に算入する金額は，その年度で償却費として損金経理した金額のうち，法人が選定した法定の償却方法に基づいて計算した金額に達するまでの金額である（法31）。

　会社は，会社計算規則に基づき，事業年度末に相当の償却をしなければならない（計規5②）。法人税法は，その法人の損金経理額のうち，法定償却限度額を限度として損金に算入する。したがって，法人の行う会計処理としての減価償却費の金額と，税法上の損金算入の金額とが食い違うこともありうるわけである。法人の損金経理した金額が法定償却限度額を超過する場合は，その超える金額は償却超過として損金不算入とされ，所得に加えられる。反対に，損金経理した金額が法定償却限度額以下のときは，その不足額は償却不足として，将来に損金算入が持ち越されることになる。したがって，損金算入される減価償却費の計算には，まず，法定の償却限度額を計算することが必要となるのである。

　減価償却計算に関する詳細な方法については，企業会計原則，企業会計基準，会社計算規則にも，具体的に示されていない。会計実務において，そのよるべき1つの指針として用いられるのが，税法の減価償却に関する詳細にして具体的な計算規定なのである。したがって，多くの場合は，税法の減価償却限度額に損金経理額を一致せしめて償却の計上が行われ，償却限度額が相当の償却をなしたかどうかの判断の重要な一基準とされるのである。その意味では，税法の減価償却の計算規定は，わが国の経済や企業の財務構造に大きな影響を及ぼしているのである。

　　（注）　公認会計士協会監査・保証実務委員会報告第81号「減価償却に関する当面の監査

上の取扱い」（平成 19 年 4 月 25 日）では，法人税法に規定する普通償却限度額を正規の減価償却費として処理する場合においては，企業の状況に照らし，耐用年数又は残存価額に不合理と認められる事情のない限り，当面，監査上妥当なものとして取り扱うことができるとしている。

2　平成 19 年度税務減価償却の改正

減価償却制度は，平成 19 年度税制改正において，設備投資の促進と国際競争力の強化の観点から，抜本的な見直しがなされた。その要点は次のとおりである。

(1)　残存価額の廃止

平成 19 年 4 月 1 日以後取得された減価償却資産について，従前の残存価額（取得価額の 10％）および償却可能限度額（取得価額の 95％ 相当額）が廃止され，残存簿価 1 円まで償却できるようになった。

(2)　定額法，定率法，生産高比例法の計算方式の変更

新たな計算の仕組みを反映した減価償却の算式が，定額法，定率法，生産高比例法等につき定められた。定率法償却率が定額法償却率の原則 250％ に設定されたため，定率法により早期段階に多額の償却を行うことが可能になった。

(3)　平成 19 年 3 月 31 日以前に取得された減価償却資産については，従前の償却計算の仕組みが維持され，償却方法の名称は，旧定額法，旧定率法，旧生産高比例法等とされた。さらに，取得価額の 95％ 相当額まで到達している減価償却資産については，その後 5 年間で残存簿価 1 円まで償却できることになった。

3　固　定　資　産

固定資産（fixed assets）とは，使用の目的をもって所有される財貨で，その用役が長期にわたるものをいう。土地等を除く固定資産は，その使用，時間の経過，陳腐化等によって，その価値を減少する。この固定資産の価値の減少を減価償却といい，その費用を減価償却費（depreciation）と呼ぶ。固定資産は長期間にわたる費用であり，この意味においては，無形の権利も，それが将来に収益をも

たらす効果を有するとすれば，その収益に対応して費用化される点において有形の財貨と同様である。したがって，固定資産は有形の財貨（有形固定資産；tangible fixed assets）のみでなく，無形の権利（無形固定資産；intangible fixed assets）をも含むものである。固定資産のうち，土地や電話加入権等の非償却資産を除いたものを，減価償却資産（depreciable assets）という。

① 固定資産の範囲

法人税法において，固定資産とは次のものをいう（法2二十二，令12）。
1 土地（借地権等土地の上に存する権利を含む）
2 減価償却資産
3 電話加入権
4 上記3つに準ずる資産

② 減価償却資産の範囲

減価償却資産の範囲は次のとおりである（令13）。
（有形減価償却資産）
1 建物及びその附属設備
2 構築物
3 機械及び装置
4 船舶
5 航空機
6 車両及び運搬具
7 工具，器具及び備品
（無形減価償却資産）主要項目の例示
　鉱業権，漁業権，ダム使用権，水利権，特許権，実用新案権，意匠権，商標権，ソフトウエア，営業権，専用側線利用権　等
（生物）
　イ　牛，馬等　　ロ　かんきつ樹，りんご樹等　　ハ　茶樹，オリーブ樹等

③ 少額の減価償却資産の取得価額の損金算入

減価償却資産で，使用可能期間が1年未満であるもの，または取得価額が10

万円未満であるものは，事業の用に供した日の属する事業年度において損金経理したときは，減価償却資産とせず，その年度の損金に算入される（令133）。

　　（注）　10万円未満とは10万円は入らず，99,999円以下のことである。

　平成10年度改正税法によって，少額減価償却資産基準が20万円未満から10万円未満に引き下げられた。ただし，取得価額20万円未満の減価償却資産については，事業年度ごとに，一括して3年間で償却できる方法（一括償却資産の損金算入制度）が選択できる（法令133）。

　（例1）　取得価額が8万円の時計，19万円のテレビおよび22万円の金庫を現金にて購入した。なお，3年間一括償却資産処理を選定している。

〈仕　訳〉

（借）　消　耗　品　費　　　80,000　　（貸）　現　　　金　　　80,000
（借）　器具及び備品　　　　190,000　　（貸）　現　　　金　　　190,000
　　　（一括償却資産）
（借）　器具及び備品　　　　220,000　　（貸）　現　　　金　　　220,000

4　減価償却資産の取得価額

　減価償却資産の取得価額（acquisition cost）は，次に掲げる資産の区分ごとに，それぞれイおよびロの金額の合計額による（令54）。

(1)　購入した減価償却資産

イ　その資産の購入代価（引取運賃，荷役費，運送保険料，購入手数料，関税等の費用があればこれを加算する）

ロ　その資産を事業の用に供するために直接要した費用の額

(2)　自己が建設，製作または製造した減価償却資産

イ　自己が建設，製作または製造のために要した原材料費，労務費および経費の額

ロ　その資産を事業の用に供するために直接要した費用の額

　　　例　機械の据付費等

　　（注）　このほか，合併・出資により受け入れた減価償却資産，交換・贈与・債権の弁済等により取得した減価償却資産，自己が育成させた牛馬等，自己が成熟させた果樹等につき，取得価額の定めがある。

　固定資産の取得価額に関する取扱いの例として，次のものがある。

　i　固定資産を取得するための借入金の利子および割賦購入資産の利息相当部

分は，固定資産の取得価額に算入しないことができる（基通7-3-1の2，7-3-2）。
ii 固定資産の取得に関連して支出する不動産取得税または自動車取得税等は，固定資産の取得価額に算入しないことができる（基通7-3-3の2）。
iii 土地，建物等の取得に際して支払う立退料等は，土地，建物等の取得価額に算入する（基通7-3-5）。
iv 土地とともに取得した建物等の取壊し費等は，その土地の取得価額に算入する（基通7-3-6）。

5　減価償却資産の残存簿価等

　平成19年度税制改正において，改正前の残存価額，償却可能限度額が廃止され，残存簿価1円とされた。そのため，改正年度前取得資産と改正年度後取得資産につき，計算要素が別に定められている。

①　平成19年3月31日以前取得資産の残存価額，償却累積額，残存簿価

　旧定額法・旧定率法等の適用における計算要素は次のとおりである（耐用年数省令6，別表11）。

　　　取得価額　×　残存割合　＝　残存価額
　　　　有形減価償却資産　　　　　　　10％
　　　　無形減価償却資産，鉱業権および坑道　　0％

　有形減価償却資産が耐用年数を経過して残存価額に達した後，償却累計額が取得価額の95％に達するまで償却を継続できる（令61①）。

　償却累積額が95％に達した資産については，残存簿価1円に達するまで60カ月にわたって，償却できる。

②　平成19年4月1日以後取得資産の残存簿価

　定額法・定率法等が適用される資産減価償却資産については，残存簿価は次のとおりである。

　　　　有形減価償却資産　　　　　残存簿価　1円
　　　　坑道・無形固定資産　　　　　　　　　0円

6　耐用年数

①　法定耐用年数

法定償却限度額を計算する場合の耐用年数（useful life）は，「減価償却資産の耐用年数等に関する省令」に定められたものが用いられる。それには「別表第1　機械及び装置以外の有形減価償却資産の耐用年数表」，「別表第2　機械及び装置の耐用年数表」，「別表第3　無形減価償却資産の耐用年数表」等がある。さらに，償却率表は別表第7から第10に定められている（付録参照）。

②　中古資産の見積耐用年数

中古の減価償却資産を取得した場合には，法定耐用年数によらず，その用に供した時以後の使用可能期間の年数によることができる（耐用年数省令3①一）。取得した中古資産について見積耐用年数によるか法定耐用年数を適用するかは法人の任意であるが，残存耐用年数の見積りは，その事業の用に供した事業年度のみにおいて行うことができる（耐通1-5-1）。

(イ)　個別償却資産の残存耐用年数の見積りの簡便法

建物，車両及び運搬具等のように個別耐用年数が定められている中古資産を取得した場合，その残存耐用年数を見積ることが困難であるときは，次の算式により計算する（耐用年数省令3①二）。

(1)　法定耐用年数の全部を経過したもの

　　　法定耐用年数×20％＝残存耐用年数

(2)　法定耐用年数の一部を経過したもの

　　　法定耐用年数－経過年数＋経過年数×20％＝残存耐用年数
　（注）　1年未満の端数は切り捨て，年数が2年未満の場合は2年とする。

(例2)　中古の木製事務机を25万円にて購入した。法定耐用年数は8年，経過年数は5年である。残存耐用年数の計算は次のとおりである。

　　　法定耐用年数　　　経過年数　　経過年数の20％　　残存耐用年数
　　　　　8年　　　－　　5年　　＋　　5年×20％　　＝　　4年

(ロ)　見積耐用年数によることができない中古資産

中古資産を取得して，事業の用に供するに当たって，改良等のために支出した

金額が再取得価額の50%を超えるときは，見積耐用年数でなく，法定耐用年数による（耐用年数省令3①，耐通1-5-4）。

　　（注）　このほか，「中古の総合償却資産の総合残存耐用年数の見積り」（耐通1-5-6，1-5-7）がある。

③　耐用年数の短縮

法人の有する減価償却資産が構成，材質等が特殊なものであり，その実際の使用可能期間が法定耐用年数より著しく短い場合（おおむね10%以上短い年数）において，納税地の所轄国税局長の承認を受けたときは，その承認された使用可能期間を耐用年数として償却限度額を計算できる（令57）。

　　（注）　耐用年数短縮の事由は列挙されている（基通7-3-18）。

7　平成19年3月31日以前に取得された資産の減価償却の方法

平成19年税制改正において，減価償却制度が大幅に見直されたため，税制改正年度の前と後に取得された資産を区分して，償却限度額の計算が定められている。

①　平成19年3月31日以前取得資産に対する旧定額法・旧定率法

㈭　旧　定　額　法

これは，取得価額から残存価額を控除した金額に，旧定額法の償却率を乗ずることによって，その償却限度額が毎年同一となるよう計算する方法である（令48）。

算式を示せば，下記のとおりである。

　　　（取得価額－残存価額）×旧定額法の償却率＝償却限度額

　　　$\dfrac{1}{耐用年数}$＝旧定額法の償却率

旧定額法および旧定率法の償却率は，「減価償却資産の耐用年数等に関する省令別表第9　平成19年3月31日以前に取得された減価償却資産の償却率表」に示されている。その一部を示せば，次のとおりである。

耐用年数	旧定額法による償却率	旧定率法による償却率
2	.500	.684
3	.333	.536
4	.250	.438
5	.200	.369
6	.166	.319
7	.142	.280
8	.125	.250
9	.111	.226
10	.100	.206
⋮	⋮	⋮
100	.010	.023

　有形減価償却資産が残存価額（取得価額の10％）に達した後，取得価額の95％に達するまで償却を継続できる。

　(例3)　期首（平成19年3月31日以前）に取得価額1,000,000円のダンプカー1台を購入した。減価償却は旧定額法によっている。耐用年数4年，旧定額法の償却率0.250％
　　その計算の構造を示せば，次のとおりである。

法定耐用年数	取得価額	残存価額	旧定額法の償却率	償却限度額	期末帳簿価額
1年目	(1,000,000円 − 100,000円)		×0.250	= 225,000円	775,000円
2 〃	〃		× 〃	= 225,000	550,000
3 〃	〃		× 〃	= 225,000	325,000
4 〃	〃		× 〃	= <u>225,000</u>	100,000（取得価額の10％）
小　計				900,000	

取得価額の10％に達した後，さらに償却累積額が取得価額の95％に達するまで償却を行う。

| 5年目 | (1,000,000円 − 100,000円) | | | <u>50,000円</u>(注) | 50,000円（取得価額の5％） |
| 償却累積額 | | | | 950,000円 | （取得価額の95％） |

　　(注)　例年どおりの計算では，225,000円となり，取得価額の5％を超過するので，取得価額の5％に達するまでの金額を償却する。

　(ロ)　旧　定　率　法

　これは，毎年減少する未償却残高（取得価額−減価償却累計額＝帳簿価額）に，旧定率法の償却率を乗じることによって，その償却額が毎年逓減するように計算する方法をいう（令48）。すなわち，比率は一定であっても，掛け合わされる対象額が年々減少するため，償却限度額も減少するのである。算式を示せば下記のとおりである。

未償却残高×旧定率法の償却率＝償却限度額

$$1-\sqrt[耐用年数]{\frac{残存価額}{取得価額}}=旧定率法の償却率$$

旧定率法の償却率は，前頁に示したとおり，財務省令による「償却率表」を用いる。

（例4）　例3を旧定率法により計算しなさい。耐用年数4年の旧定率法の償却率 0.438。

法定耐用年数		未償却残高	旧定率法の償却率	償却限度額	期末帳簿価額
	1年目	1,000,000円	×0.438	=438,000円	562,000円
	2 〃	562,000	× 〃	=246,156	315,844
	3 〃	315,844	× 〃	=138,339	177,505
	4 〃	177,505	× 〃	= 77,505 [1]	100,000（取得価額の10%）
		小　計		900,000	

償却可能限度額が取得価額の95%であるため，さらに取得価額の5%に達するまで償却を行う。

	5年目	100,000円	×0.438	=43,800円	56,200円
	6 〃	56,200		6,200 [2]	50,000（取得価額の5%）
	償却累積額			950,000	（取得価額の95%）

（注1）　正確には，償却率の端数の関係で，77,747円となるが，説明の便宜上，残存価額がちょうど10%となるようにするため，77,505円とした。したがって，正確には，期末帳簿価額は，99,758円である。

（注2）　例年の償却率で計算すると，24,615円と取得価額の5%を超過するので，取得価額の5%に達するまでの金額を償却する。

② 取得価額の95%償却後における60カ月期間配分償却

平成19年3月31日以前取得資産につき，償却累積額が95%に達した後，残存簿価1円に達するまで60カ月にわたって，償却できる（令61②）。

　（注）　このほか，旧生産高比例法についても定めがある。

8　平成19年4月1日以後に取得された資産の減価償却の方法

① 定額法（straight line method）

これは，取得価額に定額法の償却率を乗ずることによって，その償却限度額が毎年同一となるよう計算する方法である（令48の2）。算式を示せば下記のとおり

である。

取得価額×定額法の償却率＝償却限度額

$\dfrac{1}{耐用年数}$＝定額法の償却率

定額法の償却率は，「減価償却資産の耐用年数等に関する省令別表第8　平成19年4月1日以後に取得された減価償却資産の定額法の償却率表」に示されている。定額法償却率の一部を示せば，次のとおりである。

耐用年数	定額法の償却率
2	0.500
3	0.334
4	0.250
5	0.200
6	0.167
7	0.143
8	0.125
9	0.112
10	0.100
⋮	⋮
100	0.010

(例5)　平成19年4月1日以後に，取得価額2,000,000円の応接セットを期首に購入した。減価償却は定額法によっている。耐用年数8年，定額法の償却率　0.125。定額法による減価償却の計算構造を示せば，次のとおりである（単位：円）。

	取得価額		定額法の償却率		償却限度額	期末帳簿価額
1年目	2,000,000円	×	0.125	＝	250,000円	1,750,000円
2 〃	2,000,000	×	0.125	＝	250,000	1,500,000
3 〃	2,000,000	×	0.125	＝	250,000	1,250,000
4 〃	2,000,000	×	0.125	＝	250,000	1,000,000
5 〃	2,000,000	×	0.125	＝	250,000	750,000
6 〃	2,000,000	×	0.125	＝	250,000	500,000
7 〃	2,000,000	×	0.125	＝	250,000	250,000
8 〃	2,000,000	×	0.125	＝	249,999(注)	1
			償却累計額		1,999,999	

（注）　8年目は，残存簿価が1円になるため，償却限度額は249,999円となる。

② **定率法**（declining balance method）

これは，毎年減少する未償却残高（帳簿価額）に，定率法の償却率を乗じることによって，その償却額が毎年逓減するように計算する方法をいう（令48の2）。

すなわち，比率は一定であっても，掛け合わせる対象額が年々減少するため，償却限度額も減少する。

(1) **250%定率法**：平成19年4月1日以後平成24年3月31日以前取得減価償却資産の定率法

平成19年4月1日以後平成24年3月31日以前取得資産に適用される定率法は250%定率法といわれ，定額法償却率の250%で算定されている。ただし，耐用年数2年については，定額法償却率0.500の250%は1.25と1を超えるため，定率法償却率は1.000とされる。

250%定率法償却率の一部を示せば，次のとおりである。

耐用年数	償却率	改定償却率	保証率
2	1.000	—	—
3	0.833	1.000	0.02789
4	0.625	1.000	0.05274
5	0.500	1.000	0.06249
6	0.417	0.500	0.05776
7	0.357	0.500	0.05496
8	0.313	0.334	0.05111
9	0.278	0.334	0.04731
10	0.250	0.334	0.04448
⋮	⋮	⋮	⋮
100	0.025	0.026	0.00546

＊減価償却資産の耐用年数等に関する省令別表第9（抜粋）

(例6) 定額法償却率と250%定率法償却率の関係を例示すれば，次のとおりである。

耐用年数	定額法償却率		250%定率法償却率
2年	0.500		1.000
3年	0.334	×250%	0.833
4年	0.250	×250%	0.625

《定率法における保証率》

定率法では，年々減価償却限度額が逓減するため，耐用年数終了時に未償却残高が残り，減価償却が終わらないことになる。このため，保証率を定め，調整計算がなされる。すなわち，取得価額に保証率を乗じた償却保証額に，各年度減価償却算定額（調整前償却額）が満たない年度に，期首未償却残高を改定取得価額

として，それに改定償却率を乗じて償却限度額を算定する。要するに，調整前償却額が一定額（償却保証額）以下になる年度から，未償却残高を改訂取得価額として，残存各年度に均等に償却限度額が算定され，最終年度は残存簿価1円を残して償却する方式となっている。実質的には，当初は定率法償却を行い，償却額が一定額に減少した後は，毎期定額による償却がなされることになる。

（例7） 平成19年4月1日以後平成24年3月31日以前に，取得価額2,000,000円の応接セットを期首に購入した。減価償却は250％定率法によっている。耐用年数8年，250％定率法の償却率0.313，保証率0.05111，改定償却率0.334

250％定率法による減価償却の計算構造を示せば，次のとおりである（単位：円）。

	未償却残高	定率法の償却率	調整前償却額	償却保証額	償却限度額	期末帳簿価額
1年目	2,000,000 円	× 0.313 =	626,000 円	102,220[1]	626,000	1,374,000 円
2 〃	1,374,000	× 0.313 =	430,062	102,220	430,062	943,938
3 〃	943,938	× 0.313 =	295,452	102,220	295,452	648,486
4 〃	648,486	× 0.313 =	202,976	102,220	202,976	445,510
5 〃	445,510	× 0.313 =	139,444	102,220	139,444	306,066
6 〃	306,066	× 0.313 =	95,798	102,220[2]		
	改訂取得価額	改定償却率				
	306,066	× 0.334 =			102,226	203,840
7 〃	306,066	× 0.334 =			102,226	101,614
8 〃	306,066	× 0.334 =			101,613[3]	1
				償却累計額	1,999,999	

（注1）　償却保証額　2,000,000×0.05111＝102,220

（注2）　6年目　調整前償却額95,798＜償却保証額102,220→改訂取得価額・改定償却率適用

（注3）　8年目　306,066×0.334＝102,226→101,613　残存簿価1円になるように端数計算を調整

要するに，調整前償却額が償却保証額を超える5年間（1年～5年）は定率法（償却率0.313），調整前償却額が償却保証額を下回る3年間（6年～8年）は毎期定額となる改訂償却率（0.334）が用いられる内容になっている。

⑵　**200％定率法**：平成24年4月1日以後取得減価償却資産の定率法

平成24年4月1日以後に取得をする減価償却資産に対する定率法について，定額法の償却率を2倍した200％定率法が制定された（令48の2）。

200％定率法償却率の一部を示せば，次のとおりである。

耐用年数	償却率	改定償却率	保証率
2	1.000	—	—
3	0.667	1.000	0.11089
4	0.500	1.000	0.12499
5	0.400	0.500	0.10800
6	0.333	0.334	0.09911
7	0.286	0.334	0.08680
8	0.250	0.334	0.07909
9	0.222	0.250	0.07126
10	0.200	0.250	0.06552
⋮	⋮	⋮	⋮
100	0.020	0.020	0.00742

＊減価償却資産の耐用年数等に関する省令別表第10（抜粋）

(例8) 定額法償却率と200％定率法償却率の関係を例示すれば，次のとおりである。

耐用年数	定額法償却率		200％定率法償却率
2年	0.500	×200％	1.000
3年	0.334	×200％	0.667
4年	0.250	×200％	0.500

(例9) 〈200％定率法の考え方〉 平成24年4月1日以後に，取得価額1,000,000円の音響機器を期首に購入した。減価償却は200％定率法によっている。耐用年数5年，200％定率法の償却率0.400による1年目，2年目の減価償却限度額を示せば，次のとおりである（これらの年度における保証率，改訂償却率は償却限度額に影響がないため省略）。

(単位：円)

	償却限度額	期末帳簿価額
1年目	1,000,000×0.400＝400,000	1,000,000−400,000＝600,000
2年目	600,000×0.400＝240,000	600,000−240,000＝360,000

(例10) 〈200％定率法の計算構造〉
(例9)における200％定率法の計算構造を示せば，次のとおりである（単位：円）。耐用年数5年，200％定率法の償却率0.400，改定償却率0.500，保証率0.10800

	未償却残高	定率法の償却率		調整前償却額	償却保証額	償却限度額	期末帳簿価額
1年目	1,000,000 円	× 0.400	=	400,000 円	108,000(1)	400,000	600,000 円
2 〃	600,000	× 0.400	=	240,000	108,000	240,000	360,000
3 〃	360,000	× 0.400	=	144,000	108,000	144,000	216,000
4 〃	216,000	× 0.400	=	86,400	108,000(2)		
	改訂取得価額	改定償却率					
	216,000	× 0.500	=			108,000	108,000
5 〃	216,000	× 0.500	=			107,999(3)	1
					償却累計額	1,999,999	

(注1) 償却保証額 1,000,000×0.1080＝108,000

(注2) 4年目 調整前償却額 86,400＜償却保証額 108,000 →改訂取得価額・改定償却率適用

(注3) 5年目 216,000×0.500＝108,000 → 107,999 残存簿価1円になるように端数計算を調整

要するに，調整前償却額が償却保証額を超える3年間（1年目～3年目）は定率法（償却率0.400），調整前償却額が償却保証額を下回る2年間（4年目，5年目）は毎期定額となる改訂償却率（0.500）が用いられる内容になっている。

③ **生産高比例法（production method）**

生産高に比例して減価償却を行うものであり，その算式は次のとおりである（令48の2）。

$$\frac{取得価額}{当該資産の耐用年数の期間内における採掘予定数量} = 1単位当たり償却限度額$$

$$1単位当たり償却限度額 \times 当該事業年度の実際採掘量 = 当該事業年度の償却限度額$$

9 償却方法の選定等

① 償却方法の選定

減価償却資産の償却方法は，以下のとおり選定することができる（令48，48の2）。

(A) 建 物

建物の償却方法は次のとおりである。

　　平成10年3月31日以前取得分　　　旧定額法または旧定率法

　　平成10年4月1日以後取得分　　　旧定額法

　　平成19年4月1日以後取得分　　　定額法

(B) 有形減価償却資産(建物以外)

有形減価償却資産(建物以外)については,資産の種類ごとに,次のいずれかの方法を選定しなければならない。

  平成 19 年 3 月 31 日以前取得分 旧定額法または旧定率法
  平成 19 年 4 月 1 日以後取得分 定額法または定率法

平成 19 年 4 月 1 日以後取得分に対する定率法については,次のものがある。

  平成 24 年 3 月 31 日以前取得分 250% 定率法
  平成 24 年 4 月 1 日以後取得分 200% 定率法

法人が償却方法の届出をしなかった場合には,法定償却方法として,旧定率法,定率法によらなければならない(法31,令53)。

(C) 無形固定資産

無形固定資産については,旧定額法(平成 19 年 3 月 31 日以前取得分),定額法(平成 19 年 4 月 1 日以後取得分)によることとされている(令48,48の2)。

 (注) 鉱業用減価償却資産・鉱業権減価償却方法一覧表参照。

② 減価償却方法の一覧表

以上述べた各種減価償却方法を一覧表で示せば,下のとおりである。

減価償却方法

資 産 区 分		平成 19 年 3 月 31 日以前取得資産	平成 19 年 4 月 1 日以後取得資産
建 物	平成 10.3.31 以前取得分	旧定額法　旧定率法	定額法
	平成 10.4.1 以後取得分	旧定額法	
有形減価償却資産(建物以外)		旧定額法　旧定率法	定額法　定率法
鉱業用減価償却資産		旧定額法　旧定率法　旧生産高比例法	定額法　定率法　生産高比例法
鉱 業 権		旧定額法　旧生産高比例法	定額法　生産高比例法
無形減価償却資産		旧定額法	定額法

法定償却法(届出なき場合)

有形減価償却資産(建物以外)	旧定率法	定率法
鉱業用減価償却資産・鉱業権	旧生産高比例法	生産高比例法

 (注) 定率法:平成 24.3.31 以前取得分 250% 定率法,平成 24.4.1 以後取得分 200% 定率法

平成28年度税制改正では，平成28年4月1日以後に取得された以下の資産につき，償却方法が改正された（法令48の2①一ロ，三イ）。

建物附属設備及び構築物（鉱業用を除く。）　　　　　定額法

鉱業用減価償却資産のうち建物，建物附属設備及び構築物

　　　　　　　　　　　　　　　　　　　　　　　定額法　生産高比例法

③　償却方法の届け出

法人は，次に掲げる日の属する事業年度の確定申告期限（仮決算に基づく中間申告書を提出するときはその申告期限）までに，そのよるべき償却の方法を書面により納税地の所轄税務署長に届け出なければならない（令51②）。

(a)　新たに設立した法人……設立の日

(b)　設立後すでによるべき償却の方法を選定している減価償却資産以外の資産を取得した法人……その資産を取得した日

　　（注）　新たに事業所を設ける場合，新たに収益事業を開始した公益法人等，新たに取得した船舶等についても定めがある。

④　償却方法の変更

減価償却の方法を変更しようとするときは，納税地の所轄税務署長の承認を受けなければならない。この承認を受けるためには，その新たな償却方法を採用しようとする事業年度開始の日の前日までに，その旨，変更しようとする理由等を記載した申請書を，納税地の所轄税務署長に提出しなければならない。

税務署長は，その申請書を提出した法人が現によっている償却方法を採用してから相当期間を経過していないとき，または，変更しようとする償却の方法によっては各事業年度の所得の金額の計算が適正に行われ難いと認めるときは，その申請を却下することができる。変更しようとする事業年度終了日までに，その申請につき承認または却下の処分がなかったときは，その日において，その承認があったものとみなされる（令52）。

　　（注1）　減価償却方法を変更した場合における償却限度額の算定方法が，次の通り，示されている。
　　　　　　償却方法を「旧定額法　→　旧定率法」または「定額法　→　定率法」に変更する場合（基通7-4-3）。
　　　　　　償却方法を「旧定率法　→　旧定額法」または「定率法　→　定額法」に変更する場合（基通7-4-4）。

　　（注2）　次のとおり，特殊な減価償却資産の償却方法がある。

(ｲ)　取　替　法（令49）
　(ﾛ)　特別な償却率による償却の方法（令50）。
　(ﾊ)　承認を受けた特別な償却の方法（令48の2）

10　減価償却資産の償却限度額等

①　償却限度額と損金経理額が一致する場合

　各事業年度の償却限度額は，その資産について法人が採用している償却方法に基づいて計算した金額である（令58）。減価償却費の損金算入額は，法人の計上した帳簿上の損金経理額のうち，税務上の償却限度額に達するまでの金額である。多くの場合は，償却限度額に合わせて減価償却費が損金経理される。このときには，減価償却について税務計算と帳簿計算が一致し，処理がわかりやすい。

　(例11)　A株式会社（平成24年4月1日以後資産取得）は，取得価額1,000,000円の貨物自動車を第1期（事業年度1年）の期首において購入した。貨物自動車の耐用年数は5年であり，定率法（償却率0.400）によっている。償却限度額に一致して第1期の損金経理を行いなさい。
　　(注)　定率法における「償却保証額」は資産取得後相当年数経過後に適用されるため，本例では保証率の表示を省略している（以下の例示も同じ）。
　　〈答〉
　　　償却限度額　1,000,000円×0.400＝400,000円
　　　損金経理
　　　〈仕　訳〉
　　　　（借）　減価償却費　400,000　　（貸）　車両及び運搬具　400,000
　　(注)　次の仕訳でもよい。
　　　　（借）　減価償却費　400,000　　（貸）　車両減価償却累計額　400,000

②　償却限度額と損金経理額が一致しない場合――償却超過，償却不足

　法人が減価償却費として会計処理を通じて損金経理した金額が，償却限度額と一致しない場合がある。

　税法の償却限度額以上の金額で減価償却費を損金経理することを償却超過といい，その超過額は損金不算入とされる。そして，翌期以降においては，期末帳簿価額に償却超過額を加えた金額を，税務上の帳簿価額とみなして計算する（令62）。したがって，定額法の場合は，取得価額を対象とするため毎期の償却限度

額には変化がないが，定率法の場合は，帳簿価額を対象にするため償却限度額は変化する。定率法で償却超過のある場合の翌期以降の償却限度額の計算は，次の算式により行う。これは，前期以前において法定償却限度額どおり償却した場合の帳簿価額に修正して，計算するものである。

　　（期首帳簿価額＋繰越償却超過額）×定率法の償却率＝償却限度額

　反対に，損金経理をした減価償却費が償却限度額に満たない場合は，償却不足となる。減価償却費の計上額を決めるのは法人の任意であり，ただ，税法では最高限度額としての償却限度額を定めているにすぎないので，損金経理が行われていない償却不足の金額は，当然損金とはならない。そして，償却不足はその期において打ち切られ，実質的に償却期間が延長されることとなる。定率法においては，償却不足を考慮しないで，帳簿価額を対象として計算が行われる。

　（例12）　A株式会社（平成24年4月1日以後資産取得）は，取得価額1,000,000円の貨物自動車を第1期（事業年度1年間）の期首において購入した。貨物自動車の耐用年数は5年であり，定額法の償却率は0.200，定率法の償却率は0.400である。A社の第1期の償却限度額を，定額法，定率法によって示しなさい。なお，第1期の損金経理した減価償却費が600,000円であり，財務諸表の当期純利益が1,000,000円であるとするならば，所得金額はいくらになるかを示しなさい。なお減価償却以外に申告調整項目はない。

　　〈答〉
　　　定額法の場合
　　　　償却限度額　　1,000,000円×0.200　　＝　　200,000円
　　　　償却超過額　　600,000－200,000円　　＝　　400,000円
　　　　所得金額　　　　　当期純利益　　　1,000,000円
　　　　　　　　　　（加算）償却超過額　　　 400,000円
　　　　　　　　　　　　　所得金額　　　　1,400,000円
　　　定率法の場合
　　　　償却限度額　　1,000,000円×0.400　　＝　　400,000円
　　　　償却超過額　　600,000－400,000円　　＝　　200,000円
　　　　所得金額　　　　　当期純利益　　　1,000,000円
　　　　　　　　　　（加算）償却超過額　　　 200,000円
　　　　　　　　　　　　　所得金額　　　　1,200,000円

　（例13）　例9におけるA株式会社の第2期の償却限度額はいくらになるか，定額法，定率法に分けて示しなさい。

　　〈答〉
　　　定額法　1,000,000円×0.200＝200,000円
　　　定率法　　期首帳簿価額　　繰越償却超過額

(400,000 円 ＋ 200,000 円)×0.400＝240,000 円
　(注)　期首帳簿価額 (400,000 円) は，取得価額 (1,000,000 円) より第 1 期損金経理額 (600,000 円) を控除したものである。

(例14)　A株式会社 (平成 24 年 4 月 1 日以後資産取得) は，取得価額 1,000,000 円の貨物自動車を第 1 期 (事業年度 1 年) の期首において購入した。耐用年数は 5 年であり，償却率は定額法 0.200，定率法 0.400 である。第 1 期の損金経理した減価償却費が 150,000 円である場合，定額法，定率法による償却不足が幾らになるかを計算しなさい。なお，第 2 期の償却限度額は，定額法，定率法によれば幾らになるかを示しなさい。

〈答〉
　第 1 期　償却不足
　　　　定額法　1,000,000 円×0.200　　　＝200,000 円　償却限度額
　　　　　　　　200,000 円－150,000 円＝　50,000 円　償却不足額
　　　　定率法　1,000,000 円×0.400　　　＝400,000 円　償却限度額
　　　　　　　　400,000 円－150,000 円＝250,000 円　償却不足額
　(注1)　償却不足額は，第 1 期の所得計算には関係ない。
　第 2 期の償却限度額
　　　　定額法　1,000,000 円×0.200　　　＝200,000 円
　　　　定率法　期首帳簿価額
　　　　　　　　850,000 円×0.400　　　＝340,000 円
　(注2)　期首帳簿価額 (850,000 円) は，取得価額 (1,000,000 円) より第 1 期損金経理額 (150,000 円) を控除したものである。

③　事業年度の中途で事業の用に供した減価償却資産の償却限度額

　減価償却資産を事業年度の中途において取得し，事業用に供したときは，月数案分によって償却限度額を計算する。算式は下記のとおりである (令 59 ①)。

　　定額法　取得価額×定額法の償却率×$\dfrac{\text{事業の用に供した月数}}{\text{事業年度の月数}}$

　　定率法　未償却残高×定率法の償却率×$\dfrac{\text{事業の用に供した月数}}{\text{事業年度の月数}}$

　(注)　月数の 1 カ月未満の端数は 1 カ月とする。

(例15)　A株式会社 (平成 24 年 4 月 1 日以後資産取得) の事業年度は，1 月 1 日より 12 月 31 日である。10 月 1 日に取得価額 1,000,000 円の貨物自動車 (耐用年数 5 年) を取得した場合，定額法による償却限度額を示しなさい。
　耐用年数 5 年の定額法の償却率　0.200

〈答〉
　1,000,000 円×0.200×$\dfrac{3}{12}$＝50,000 円　償却限度額

(例16) A株式会社（平成24年4月1日以後資産取得）の当期事業年度は，1月1日より12月31日である。10月15日に取得価額1,000,000円の貨物自動車（耐用年数5年）を取得した場合，定率法による償却限度額を示しなさい。
定率法の償却率　5年　0.400
〈答〉

$1,000,000 円 \times 0.400 \times \dfrac{3}{12} = 100,000 円$　償却限度額

（注）10/15〜12/31＝2カ月と17日……切り上げて3カ月とする。

④　一括償却資産の損金算入制度

　平成10年度税法改正により，事業供用時に全額損金算入できる少額減価償却資産の取得価額が20万円未満から10万円未満に引き下げられた（令133）。それによる事務負担等に配慮して，取得価額が20万円未満の減価償却資産について，その全部または特定の一部を一括したもの（一括償却資産）を3年間で償却する方法が選択できることになった（令133の2①）。その算式は次のとおりである。

$$一括償却対象額 \times \dfrac{当該事業年度の月数}{36カ月} = 損金算入限度額（中間申告の特例あり）$$

（例17）当社は，当期（1年間）に取得価額15万円および18万円の備品を現金にて購入し，一括償却資産とした。決算期における一括償却資産の損金算入限度額を示しなさい。
〈答〉

　150,000円＋180,000円＝330,000円　一括償却対象額

　$330,000 \times \dfrac{12}{36} = 110,000 円$　損金算入限度額

⑤　中小企業者等の少額減価償却資産の取得価額の損金算入の特例

　中小企業者等である青色申告書提出法人が，平成18年4月1日から平成30年3月31日までの間に，取得価額30万円未満の減価償却資産（少額減価償却資産）を取得し，その取得価額を事業供用年度に損金経理したときは，その損金経理額が損金に算入される。ただし，その取得価額合計額のうち300万円に達するまでの合計額を損金算入の限度額とする（措法67の5①）。

　　（注1）「事業年度が1年未満の場合の償却率」―決算期変更等により，事業年度が1年未満となる場合事業年度の月数に応じて償却率を改める（耐用年数省令4，5）。
　　（注2）「陳腐化償却限度額」―減価償却資産が技術の進歩等の理由により著しく陳腐化した場合に適用される（令60の2①，⑤）。
　　（注3）「増加償却」―機械及び装置の使用時間が，平均的な使用時間を超えるためその

損耗が著しい場合，所轄税務署長に届け出ることにより増加償却が認められる（令60，規20）。

11　除却損失

減価償却資産の一部について除却等（除却，廃棄，滅失または譲渡）があった場合，除却資産の除却価額を次のとおりとして，除却損益を算定する。

総合償却資産の一部について除却等があった場合には，除却時において総合償却資産の総合耐用年数により計算された除却資産の未償却残額を，除却価額とする（基通7-7-3）。

個別償却資産の一部について除却等があった場合には，除却時の帳簿価額を除却価額とする。なお，償却費が個々の資産に配賦されていない場合には，法定耐用年数を基礎として計算された未償却残額を，除却価額とする（基通7-7-6）。

12　資本的支出と修繕費

①　資本的支出の算定

事業用の固定資産を使用する場合には，その修理や改良が必要となる。その支出が経常的な補修や維持のためのものであるときは，修繕費（repair expense）として損金に算入される。しかし，その支出が改良の性格を持ち，金額も多い場合には，その年度だけの損金に算入せず，固定資産の価額に加えられる資本的支出（capital expenditure）とされる。

資本的支出と修繕費の区分は困難であるが，税法は，次の金額を資本的支出とする立場を示している（令132）。

(1) 支出額のうち，その資産の取得時において通常の管理または修理をするものとした場合に予測される資産の使用可能期間を，延長させる部分の金額

(2) 支出額のうち，その資産の取得時において通常の管理または修理するものとした場合に予測される，支出時におけるその資産の価額を，増加させる部分の金額

なお，上記のいずれにも該当する場合はいずれか多い金額を資本的支出とす

る。要するに，その支出が固定資産の耐用年数を延長せしめ，価額を増加させる部分の金額は修繕費とせず，その固定資産の取得とする。

(例18) 法人Aが当期に工場を改修するために2,000,000円を現金にて支出した。この工場は新築後12年を経過し，通常の管理を続けていれば，現在では残存耐用年数が6年，価額は2,800,000円であろうと予測されていた。支出後に予測される残存耐用年数は10年，価額は4,000,000円であった。

$$2,000,000 円 \times \frac{10 年 - 6 年}{10 年} = 800,000 円 \quad 使用可能期間延長部分……イ$$

$4,000,000 円 - 2,800,000 円 = 1,200,000 円 \quad 価額の増加部分 \quad ……ロ$

イとロのいずれか多い金額　ロ 1,200,000円　資本的支出

$2,000,000 円 - 1,200,000 円 = 800,000 円 \quad 修繕費$

これを仕訳で示せば，次のとおりである。

〈仕　訳〉

(借) 建　　　物　1,200,000　　(貸) 現　　　金　2,000,000
(借) 修　繕　費　　 800,000

② 資本的支出の例示

固定資産の価値を高め，その耐久性を増すこととなる次の場合は，資本的支出とされる (基通7-8-1)。

(1) 建物の避難階段の取付等物理的に付加した部分の金額
(2) 用途変更のための模様替え等改造または改装に直接要した金額
(3) 通常の取替費を超える高品質または高性能の機械部分品の金額

なお，建物の増築，構築物の拡張，延長等は建物等の取得に当たる。

③ 修繕費の例示

(イ) 維持管理等の費用

支出した金額が固定資産の維持管理のため，または災害等の原状回復のためのものである次のような場合，修繕費とされる (基通7-8-2)。

(1) 建物の移えいまたは解体移築した場合の費用。ただし，解体移築にあっては，旧資材の70％以上を再使用し，従前の建物と同一規模および構造の建物を再建築するものに限る。
(2) 機械装置の移設費用　等

(注) このほか，土地の地盤沈下回復のための地盛費用等の例示がある。

(ロ) 少額または周期の短い費用の損金算入

次のような少額の修理，改良等は修繕費とすることができる（基通 7-8-3）。

(1) １つの修理，改良のための費用が20万円未満の場合
(2) その修理，改良等がおおむね３年以内の周期で行われている場合

(ハ) 形式基準による修繕費の判定

資本的支出か修繕費であるかが不明な場合，その金額が次のいずれかに該当するときは，修繕費とすることができる（基通 7-8-4）。

(1) その金額が60万円に満たない場合
(2) その金額がその固定資産の前期末取得価額のおおむね10％以下である場合

(例 19) 次の場合，税務における資本的支出と修繕費を区分して，仕訳を示しなさい。
　(イ) 機械につき通常の補修を行い，現金70,000円を支払った。
　(ロ) 機械の高性能化を行うため，高品質機械部品2,000,000円を現金で支払った。

〈答〉
(イ)（借方）修 繕 費　　70,000　（貸方）現　　金　　70,000
(ロ)（借方）機械装置　2,000,000　（貸方）現　　金　2,000,000

④ 資本的支出と修繕費の区分の特例

(イ) 一定の比率による区分

１つの修理，改良等のための費用のうち資本的支出か修繕費であるかが不明の場合，法人が継続して次のいずれか少ない金額を修繕費とし，残額を資本的支出としているときは，これが認められる（基通 7-8-5）。

(1) その金額の30％
(2) 当該固定資産の前期末取得価額の10％

(ロ) 災害等の場合の資本的支出と修繕費の区分の特例

災害等によりき損した固定資産について支出した費用のうち資本的支出か修繕費であるかが不明の場合，その金額の30％を修繕費とし，残額を資本的支出としているときは，これが認められる（基通 7-8-6）。

⑤　資本的支出を行った場合の償却方法

　平成 19 年 4 月 1 日以後に資本的支出を行った場合，原則として，その資本的支出額を固有の取得価額として，既存の減価償却資産と種類・耐用年数を同じくする減価償却資産を取得したものとして，償却を行う（令 55 ①）。

>　（注）　平成 19 年 3 月 31 日以前取得資産につき資本的支出を行った場合の償却方法も定められている（令 55 ②，4）。

《税務計画メモ》

(1) 使用可能期間が 1 年未満，または取得価額が 10 万円未満の減価償却資産は，損金経理により損金に算入される。
(2) 中古資産の耐用年数については，法定耐用年数でなく，見積耐用年数を用いる方が有利である。
(3) 耐用年数の短縮，増加償却の規定を，積極的に活用すべきである。
(4) 減価償却の方法としては，定率法は当初に多額の減価償却限度額を算定するため，租税負担の面では定額法より有利である。
(5) 修繕費の処理については，修繕費の例示等，修繕費に認められる取扱いを積極的に利用すべきである。

第7章 特別償却

1 特別償却の意義

　減価償却は，法定耐用年数を用いて，定率法，定額法等の方法により，毎事業年度に実施される。通常の減価償却費は，その年度の益金に対応する経常的な損金として，所得計算上控除される。それに対し，特別償却（special depreciation）は通常の償却限度額を超えて，償却資産の取得時や一定の期間に，多額の減価償却費を特別に控除しようとするものである。本来期間費用でない特別償却費を控除する結果，償却資産取得年度の損金は増加し，所得金額が減額され，納税額が軽減される。設備投資を行う法人にとって，特別償却が適用されることは，租税負担の軽減と有利な資金の活用を可能にするものであり，民間投資の刺激策として，それは重要な役割を果してきた。特別償却は，減価償却資産の取得当初に多額の償却費を控除するものであるから，減価償却資産の帳簿価額を大幅に減額し，その結果，その後の減価償却費を減少させることになる。

　特別償却の適用により，減価償却資産の取得時に課税所得金額と納税額は減額されるが，その後の過少償却によって課税の回復がなされる。いわば，特別償却による納税額の減額部分は課税の繰延べの性質を持ち，間接的に政府より無利子の資金調達を行う効果を持っている。

　特別償却の内容は，そのときの国の重点政策が反映され，その項目，割合が決定され，改正される。そのタイプとしては，減価償却資産の取得年度にのみ一定額を特別償却するものと，取得後一定年度にわたり普通償却額を割増しするものとがある。特別償却を適用できる法人は，原則として青色申告書を提出するものに限られる。ただし，高齢者向け優良賃貸住宅等の割増償却は青色申告でなくても適用できる。

2 特別償却の種類

特別償却の主要な種類を示せば，次のとおりである（措法42の5〜52）。

<u>A 取得価額の一定割合を特別償却するもの</u>
 (1) エネルギー環境負荷低減推進設備等を取得した場合の特別償却（または法人税額の特別控除）
 (2) 中小企業者等が機械等を取得した場合等の特別償却
 (3) 特定設備等の特別償却
 (4) 医療用機器等の特別償却

<u>B 一定年度にわたり，普通償却額を割増しするもの</u>
 (1) 障害者を雇用する場合の機械の割増償却
 (2) サービス付き高齢者向け賃貸住宅等の割増償却
 (3) 倉庫用建物等の割増償却

以上のうち，重要なものを説明すれば，次のとおりである。

① **エネルギー環境負荷低減推進設備等を取得した場合の特別償却**

企業の環境関連の設備投資・技術開発等を推進するための税制措置として，平成23年度税制改正において，エネルギー環境負荷低減推進設備等を取得した場合の特別償却が創設された。

青色申告法人が，平成23年6月30日から平成30年3月31日までの間に，エネルギー環境負荷低減推進設備等を取得または制作もしくは建設（取得等）をし，取得等の日から1年以内に事業用に供した場合には，一定の要件のもとに，その取得価額の30%の特別償却ができる（措法42の5①，措令27の5）。償却限度額は次のとおりである。

供用年度の償却限度額＝普通償却限度額＋特別償却限度額
　特別償却限度額＝取得価額 $\times \dfrac{30}{100}$
　（注）中小企業者等については，特別償却に代え，取得価額の7%の特別税額控除を選択できる。

（例1） A株式会社（青色申告法人）は，当期の期首（4月1日）にエネルギー環境負荷低減推進設備等の機械を購入し，同月に事業に供用した。なお，A株式会社は毎年3月末決算（1年）であり，償却方法は定率法を選択しており，特別償

却 $\left(\dfrac{30}{100}\right)$ を行う。この機械の取得価額は 1,000 万円であり，耐用年数は 8 年，200％定率法の償却率は 0.250 である。当期におけるこの機械の償却限度額を示すとともに，減価償却費および特別償却費を限度額どおり，損金経理する仕訳を示しなさい。

〈答〉
普通償却限度額　10,000,000 円×0.250＝2,500,000 円
特別償却限度額　10,000,000 円×$\dfrac{30}{100}$＝3,000,000 円
当期償却限度額　　　　　　　　　　5,500,000 円
　（借）　減価償却費　2,500,000　（貸）　機械及び装置　5,500,000
　（借）　特別償却費　3,000,000

(例 2)　例 1 において，翌期における償却限度額を示しなさい。

〈答〉
帳 簿 価 額　10,000,000 円－5,500,000 円＝4,500,000 円
償却限度額　4,500,000 円×0.250＝1,125,000 円

特別償却の結果，定率法においては 2 年目以降の償却限度額は著しく減少する。

② 特定設備等の特別償却

青色申告法人は，次に掲げる特定設備等につき，財務大臣が定める指定期間内（財務省告示による）に，新品の特定設備等を取得，製作または建設して，その法人の事業の用に供した場合には，その供用年度において特別償却ができる。特別償却限度額は取得価額に，次に示した割合を乗じた金額である（措法 43）。

（対象資産）　　　　　　　　　　　　　　　　（割　合）
⑴　公害防止設備　　　　　　　　　　　　　　　　$\dfrac{8}{100}$
⑵　船　舶―近代化船　　　　　　　　　　　　　　$\dfrac{16}{100}$
　$\left(\text{経営合理化・環境負荷低減に著しく資する船舶}\quad \dfrac{18}{100}\right)$

特定設備等を供用した年度における償却限度額は，普通償却限度額と特別償却限度額との合計である。

普通償却限度額
特別償却限度額＝取得価額×特別償却割合
当期償却限度額＝普通償却限度額＋特別償却限度額

(例 3)　青色申告法人の乙社（中小企業者等）は，期首（平成 19 年 4 月 1 日以後，事業年度は 1 年）に公害防止設備 2,000 万円を取得し，事業に供用した。減価償却は定額法によっており，耐用年数は 7 年，定法の償却率は 0.143 であり，特別償却$\left(\dfrac{8}{100}\right)$を行う。当期の償却限度額を示しなさい。

〈答〉
　　普通償却限度額　20,000,000 円 × 0.143 = 2,860,000 円
　　特別償却限度額　20,000,000 円 × $\frac{8}{100}$ = 1,600,000 円
　　当期償却限度額　1,860,000 円 + 1,600,000 円 = 4,460,000 円
　（注）　定額法は取得価額に基づいて計算されるため，2 年目以降の普通償却限度額は 1 年目と同額であり，結果的に耐用年数を短縮することになる。

③　障害者を雇用する場合の機械等の割増償却

　青色申告書を提出する法人が，指定期間（昭和 48 年 4 月 1 日から平成 30 年 3 月 31 まで）に人数要件を満たして障害者を雇用している場合には，障害者が労働する事業所にある所轄公共職業安定所長の証明を受けた機械装置及び装置並びに工場用建物及びその附属設備（障害者使用機械等）のうち，当該事業年度の指定期間内又は当該事業年度開始日前 5 年以内開始事業年度において取得等したものにつき，割増償却が適用できる（措法 46 ①）。

　障害者人数要件には，「①従業員に占める障害者雇用割合 50% 以上」，「②雇用障害者数 20 人以上で障害者雇用割合 25% 以上」，「③基準適用障害者数 20 人以上かつ重度障害者割合 50% 以上で法定障害者数以上雇用」のいずれかがある。

　割増償却適用期間における各年度の特別償却限度額は，次のとおりである。

　　普通償却限度額 × 24%
　　（工場用建物及びその附属設備　32%）

　（例 4）　A 社は障害者を雇用する場合の機械等の割増償却を適用しており，当期首に，障害者使用機械等 1 千万円を取得した。償却方法は定額法，耐用年数は 10 年，償却率 0.100 であり，割増償却率は 24% である。当期（事業年度 1 年）における償却限度額を示しなさい。
　〈答〉
　　普通償却限度額　10,000,000 円 × 0.100 = 1,000,000 円
　　特別償却限度額　1,000,000 円 × $\frac{24}{100}$ = 240,000 円
　　当期償却限度額　1,000,000 円 + 240,000 円 = 1,240,000 円

3　特別償却不足額の 1 年間繰越し

　特別償却または割増償却につき特別償却不足額がある場合には，1 年間の繰越しができる。特別償却不足額とは，特別償却費の損金経理額が特別償却限度額に

満たない金額である。それは，その資産の償却費として損金に算入された金額がその資産の償却限度額に満たない差額のうち，その特別償却限度額に達するまでの金額として計算される。具体的には，償却費はまず普通償却分，次いで特別償却分が損金算入されたものとして計算し，その結果，特別償却限度額に満たない金額があれば特別償却不足額とされる。

その事業年度の開始の日前１年以内に開始した各事業年度（連続して青色申告を提出している場合に限る）に生じた特別償却不足額がある場合には，その事業年度の普通償却限度額に特別償却不足額を加算して，その事業年度の償却限度額を計算する（措法 52 の２①，②）。

なお，定率法による普通償却限度額は，次の算式のとおり，期首帳簿価額から当期に繰り越された特別償却不足額を控除した金額に基づいて計算する（措令 30）。

（期首帳簿価額－繰越特別償却不足額）×償却率＝普通償却限度額

（例５） 青色申告法人であるＢ社（中小企業者等，年１回３月 31 日決算）は，前期（平成 24 年４月１日以後）の期首に公害防止設備 2,000 万円を取得し，事業に供用した。減価償却は定率法によっており，耐用年数は７年，定率法の償却率は 0.286，特別償却割合は初年度取得価額の $\frac{8}{100}$ である。なお，前期における減価償却費損金経理額は 700 万円である。前期の特別償却不足額と当期の償却限度額を計算しなさい。

〈答〉
(1) 前　期
普通償却限度額　20,000,000 円×0.286＝5,720,000 円
特別償却限度額　20,000,000 円×$\frac{8}{100}$＝1,600,000 円
償 却 限 度 額　5,720,000 円＋1,600,000 円＝7,320,000 円
損金経理減価償却費　7,000,000 円
特別償却不足額　1,600,000 円－（7,000,000 円－5,720,000 円）＝320,000 円
期末帳簿価額　20,000,000 円－7,000,000 円＝13,000,000 円
(2) 当　期
　　　　　　　　　　〈期首帳簿価額〉〈特別償却不足額〉
普通償却限度額　（13,000,000 円－320,000 円）×0.286＝3,626,480 円
　　　　　　　〈普通償却限度額〉〈特別償却不足額〉
償却限度額　　3,626,480 円＋320,000 円＝3,946,480 円

4　特別償却の損金経理等

特別償却の経理方法としては，次の3つの方法がある（措法52の3）。
(1) 損金経理により特別償却費を減価償却資産から直接控除する方法（減価償却累計額を用いて間接控除する方法も含む）。
(2) 損金経理により特別償却準備金として積み立てる方法
(3) 当該事業年度の決算確定日までに剰余金の処分により特別償却準備金として積み立てる方法

①　損金経理により特別償却費を減価償却資産より直接控除する方法

この方法によれば，特別償却費を減価償却資産の帳簿価額より減額することになる。

（例6）　A製造株式会社は資本金5,000万円，従業員300人の青色申告法人である。当期首（事業年度1年）に新品のエネルギー環境負荷低減推進設備等（耐用年数10年）700万円を取得して，事業の用に供した。A社は特別償却（取得価額の$\frac{30}{100}$）を行い，特別償却限度額に一致して特別償却費を計上し，機械の取得価額より控除した。その仕訳を示しなさい。

〈答〉
　7,000,000円×$\frac{30}{100}$=2,100,000円　特別償却限度額
〈仕　訳〉
　(1)　直接法（借）特別償却費　2,100,000　（貸）機械及び装置　2,100,000
　(2)　間接法（借）特別償却費　2,100,000　（貸）機械減価償却累計額　2,100,000

②　損金経理により特別償却準備金として積み立てる方法

この方法は，特別償却費を減価償却資産から直接控除しないで，各対象資産別に特別償却準備金に損金経理により積み立てる方法である。この場合の特別償却準備金は，減価償却資産の帳簿価額とは無関係に存在する。特別償却準備金については，7年間（原則）にわたって益金に算入する。

その益金算入額の算式は次のとおりである（措法52の3⑤）。

積立事業年度において損金算入された特別償却準備金積立額 × $\frac{各事業年度の月数}{84^{(注)}}$ = 益金算入額

　(注)　耐用年数10年未満の資産については，60（5年）または耐用年数×12とのいずれか少ない月数とする。

この方式で減価償却資産の帳簿価額より控除されるのは普通償却費のみとなり，特別償却準備金の損金算入と益金算入は普通償却費に無関係に行われる。

(例7) 例6の場合，損金経理による特別償却準備金の当期および翌期の処理を示しなさい。

〈答〉
当期特別償却準備金積立額
$7,000,000 円 \times \dfrac{30}{100} = 2,100,000 円$
翌期特別償却準備金益金算入額
$2,100,000 円 \times \dfrac{12}{84} = 300,000 円$

〈仕訳〉
当期 (借) 特別償却準備金積立額 2,100,000 (貸) 特別償却準備金 2,100,000
翌期 (借) 特別償却準備金 300,000 (貸) 特別償却準備金戻入額 300,000

（注）積立額は「特別償却準備金積立損」，「特別償却準備金繰入額」，戻入額は「特別償却準備金戻入益」としてもよい。

③ 剰余金の処分により特別償却準備金を積み立てる方法

特別償却準備金は当該事業年度の決算確定日までに剰余金の処分により積み立てることができる。この場合には，申告調整により特別償却準備金積立額を減算して所得金額を計算する。この場合の特別償却準備金は利益積立金とされ，減価償却資産の帳簿価額とは無関係である。利益積立金である特別償却準備金は，7年間（原則）に益金に算入され，その算式は，前述の損金経理による特別償却準備金の場合と同じである。この場合の益金算入額は申告調整により所得金額に加算される（措法52の3①，④）。

(例8) 例6において，剰余金の処分による特別償却準備金の当期積立てと翌期の処理を示しなさい。

〈仕訳〉
当期 (借) 繰越利益剰余金 2,100,000 (貸) 特別償却準備金 2,100,000
（注）2,100,000円は申告調整により減算して所得金額を計算する。
翌期 (借) 特別償却準備金 300,000 (貸) 繰越利益剰余金 300,000
（注）300,000は申告調整により加算して所得金額を計算する。

④ 特別償却準備金積立不足額の1年間繰越し

特別償却準備金に積立不足額があるときは，不足額発生年度終了日の翌日以後

1年以内に終了する各事業年度において，その不足額を損金経理または利益処分の方法により，特別償却準備金として積み立てることができる。この場合，これらの年度において連続して青色申告書が提出されていることが必要である（措法52の3②）。

⑤ 特別償却準備金の益金算入

次の場合には，特別償却準備金は益金に算入される（措法52の3⑥）。
(1) 特別償却資産を有しなくなったとき
(2) 合併・分割型分割（適格合併等を除く）によって特別償却資産を移転したとき
(3) 特別償却準備金を取りくずした場合……特別償却準備金の取りくずし額

《税務計画メモ》

(1) 特別償却を適用した年度においては，所得金額と納税額が軽減される。それは課税の繰延べの効果を持ち，無利子の資金調達を可能にするものであるから，積極的に活用すべきである。
(2) 特別償却を行うためには，適用資産や適用年度等を具体的に調査し，実施しようとしている特別償却の適格性を確認する必要がある。

第8章 営業費用と損失

第1節 給料・賞与・退職給与

1 使用人給与等

　使用人に対する給料 (salaries)，賞与 (bonuses)，退職給与 (retirement allowances) は，損金に算入される。これらは，従業員の労働力の提供に対する対価として，定期的に，臨時的に，あるいは退職を理由として支払われるものである。ただし，役員と特殊関係にある使用人（役員の親族等）に対する給与および退職給与のうち，その職務についての対価として相当と認められる金額を超える場合には，不相当に高額な部分の金額は損金に算入されない（法36）。

① 使用人賞与の損金算入時期

　法人が使用人に対して支給する賞与（使用人兼務役員の使用人分賞与を含む）の額は，次の事業年度に損金算入する（令72の3）。

(1) 労働協約・就業規則により定められる支給予定日が到来している賞与
「支給予定日」または「支給額の通知日」のいずれか遅い日の属する事業年度
　この場合には，使用人に支給額が通知されており，かつ，支給予定日または通知日の属する事業年度について支給額が損金経理していることが必要である。

(2) 次の要件をすべて満たす賞与
使用人に支給額を通知した日の属する事業年度
　(イ) 支給額を，各人別に，かつ，同時期に，支給を受ける全使用人に通知し

ていること
- (ロ) 通知日の属する事業年度末の翌日から1月以内に支払っていること
- (ハ) 通知日の属する事業年度に支給額につき損金経理をしていること

(3) 上記(1)(2)以外に掲げる以外の賞与　支給日に属する事業年度

② 使用人退職給与の特例

使用人に対する退職給与は，次の場合は退職の事実がなくても，特例として退職給与として取り扱われる。

(イ) 退職給与の打切支給

法人が，中小企業退職金共済制度または適格退職年金制度への移行，定年の延長等に伴い，退職給与規程を制定または改正し，使用人に対し退職給与を打切支給した場合において，その支給につき相当の理由があり，かつ，その後は既往の在職年数を加味しないこととしているときは，その支給した退職給与の額は，その支給事業年度の損金に算入する。

ただし，法人が退職給与を打切支給したこととして未払金等を計上した場合には適用されない（基通9-2-35）。

(ロ) 使用人が役員となった場合の退職給与

法人の使用人がその法人の役員となった場合において，その法人が退職給与規程に基づき使用人であった期間に係る退職給与の金額を支給したときは，支給事業年度の損金に算入される（基通9-2-36）。

2　役員給与

会社法が平成18年（2006年）5月1日に施行され，旧商法における役員報酬と役員賞与の性格に大きな変化をもたらした。旧商法では，定期的に支給される役員報酬は費用処理とされるのに対し，役員賞与は利益処分項目として利益処分案（利益処分計算書）に記載されていた。会社法では，取締役の報酬，賞与は職務執行の対価とされ（会361），さらに，利益処分案が廃止された。

税法では，従来，役員報酬は損金算入に対し，役員賞与は損金不算入とされていた。会社法の施行を受けて，平成18年度税制改正により，税法の役員給与に関する定めは大きく変化した。従来の役員給与に対する考え方は，定期的な役員

報酬を損金算入・利益処分項目として臨時的な役員賞与を損金不算入にしたのに対し，平成18年度改正税法では，役員給与の内容が事前に決定されていることが損金算入の条件とされている。

① 損金算入される役員給与

法人がその役員に対して支給する給与（退職給与等を除く）について，次のものは損金に算入される（法34①）。

(1) 定期同額給与

支給時期が1月以下の一定の期間ごとであり，かつその事業年度内の各支給時期における支給額が同額である給与（会計期間開始日から3月経過日までに改定された場合および経営状況の著しい悪化により減額改定された場合で，改定前各支給時期の支給額が同額，改定以後各支給時期の支給額が同額である定期給与も含む〈令69①〉）。

(2) 事前確定届出給与

所定の時期に確定額を支給する旨の定めに基づいて支給する給与で，所轄税務署長に事前届出（事前確定給与に関する株主総会等の決議日から1月を経過する日まで）をしているもの

(3) 利益連動給与

非同族会社である法人が業務を執行する役員に対して支給する，利益に関する指標を基礎として算定される給与（算定方法が報酬委員会〈会404③〉での決定等の手続を経ており，かつ，有価証券報告書への記載等による内容開示がされていること）

② 損金不算入の役員給与

次の役員給与は，損金に算入されない。

(1) 定期同額給与・事前届出給与・利益連動給与以外の役員給与（法34①）
(2) 役員給与のうち，不相当に高額な部分の金額（法34②）
(3) 仮装経理することにより支給するもの（法34③）

(**例1**) 当期純利益 10,000,000 円，当期に支給した役員給与（損金経理額）6,000,000 円のうち過大役員給与が 1,000,000 円である場合における，税法上の所得金額を示しなさい。なお，ほかに申告調整項目はないものとする。

〈答〉
　当期純利益　　　　　　　10,000,000 円
　（加算）過大役員給与　　　1,000,000 円
　所得金額　　　　　　　　11,000,000 円

　（注）　平成22年度税制改正において，「特殊支配同族会社の業務主宰役員給与の損金不算入」（平成18年度導入）が廃止された。この内容は，特殊支配同族会社の業務主宰役員給与のうち，給与所得控除相当額を損金に算入しないもの（基準所得金額が一定額以下の事業年度については不適用）であり，批判が多かった。

3　役員の範囲

法人税法上，役員とは次のものをいう（法2十五，令7）。
(1)　取締役，(2)　執行役，(3)　会計参与，(4)　監査役，(5)　理事，(6)　監事，(7)　清算人
(8)　使用人以外の者で，その法人の経営に従事している者：相談役，顧問その他これらの類する者で，その法人内における地位，その行う職務等からみて，他の役員と同様に実質的に法人の経営に従事していると認められるもの（基通9-2-1）。
(9)　同族会社の使用人のうち，次に掲げる要件のすべてを満たしている者で，その会社の経営に従事している者（令7,71）
　(イ)　持株割合が同族会社の判定基準である50％を超える場合における，上位3位以内の株主グループに属していること。
　(ロ)　その使用人の属する株主グループの，その会社に係る持株割合が10％を超えていること。
　(ハ)　その使用人の，その会社に係る持株割合が5％を超えていること。

同族会社については，形式的に使用人であっても，同族会社の判定の基礎となる株主またはその同族関係者で，一定割合以上の持株を有しており，実質的に会社の経営に従事していると認められる者は役員として取り扱われるわけである。

4　使用人兼務役員の使用人分賞与の損金算入

使用人としての職務を有する役員を使用人兼務役員といい，役員のうち，部

長，課長その他使用人である職務上の地位を有し，かつ，常時使用人としての職務に従事するものとされる（法34⑤）。使用人兼務役員の使用人分給与は損金に算入される。ただし，使用人分給与のうちの使用人分賞与については，他の使用人に対する賞与支給時期と異なる時期に支給した額については，過大役員給与額として損金に算入されない（令70三）。

使用人兼務役員は，取締役総務部長，取締役販売部長等，使用人である職制上の地位を有しており，かつ，使用人としての職務に常勤していることが必要である。したがって，取締役総務担当，取締役販売担当というように，使用人としての職制上の地位でなく，特定部門の職務を総括している場合や，非常勤役員は，使用人兼務役員に該当しない。

次に掲げる役員は，その性格上使用人兼務役員とされない（法34⑤，令71）。
(1) 社長，理事長，代表取締役，代表執行役，代表理事および清算人
(2) 副社長，専務，常務その他これに準ずる職制上の地位を有するもの
(3) 合名会社および合資会社の業務執行社員
(4) 委員会設置会社の取締役，会計参与および監査役ならびに監事
(5) 以上のほか，同族会社の役員のうち，その会社が同族会社であることについての判定の基礎となった株主等であって，次の要件のすべてを満たしている者
　　(イ) 持株割合の合計が50％に達するまでの上位3位以内の株主グループに属していること。
　　(ロ) その役員の属する株主グループの持株割合が10％を超えること。
　　(ハ) その役員（配偶者およびこれらの者の持株割合が50％以上である他の同族会社を含む）の持株割合の合計が5％を超えること。

5　経済的利益の供与

役員給与には債務の免除による利益その他の経済的な利益が含まれる（法34④）。すなわち，現金で支給はしないけれども，それと同様の経済的効果をもたらす利益は，その実態に応じて役員給与に含められる。これらの例として，次のものが挙げられる（基通9-2-9）。
(1) 役員に対して物品その他の資産を贈与した場合⇒その資産の価額相当額

(2) 役員に対して所有資産を低い価額で譲渡した場合⇒その資産の価額と譲渡価額との差額相当額
(3) 役員から高い価額で資産を買入れた場合⇒その資産の価額と買入価額との差額相当額
(4) 役員に対して有する債権を放棄または免除した場合（貸倒れに該当する場合を除く）⇒その放棄しまたは免除した債権相当額
(5) 役員から債務を無償で引き受けた場合⇒その引き受けた債務相当額
(6) 役員に対しその居住用に土地または家屋を無償または低い価額で提供した場合⇒通常取得すべき賃貸料の額と実際徴収した賃貸料の額との差額相当額
(7) 役員に対して金銭を無償または通常の利率よりも低い利率で貸付けをした場合⇒通常取得すべき利率による利息額と実際徴収した利息額との差額相当額
(8) 役員に対して無償または低い対価で用役〈(6)および(7)以外〉を提供をした場合⇒通常その用役の対価として収入すべき金額と実際に収入した対価の額との差額相当額
(9) 役員に対して機密費，接待費，交際費，旅費等の名義で支給した金額で，業務に使用したことが不明であるもの
(10) 役員のために個人的費用を負担した場合⇒その費用相当額
(11) 社交団体の入会金，経常会費その他社交団体の運営費用で，役員の負担すべきものを法人が負担した場合⇒その負担した費用相当額
(12) 法人が役員を被保険者および保険金受取人とする生命保険契約を締結して，その保険料の額の全部または一部を負担した場合⇒その負担した保険料相当額

(例2) 次の項目の税務上の取り扱いを示しなさい。
　① A株式会社は，社長の住宅の光熱費を会社が毎月負担し，本年度合計金額は18万円である。
　② A株式会社は，専務取締役に対する貸付金100万円を免除した（貸倒れに該当しない）。
　〈答〉
　① 役員の個人的経費18万円の会社負担は，経済的利益として役員に対する給与とされる。
　② 免除した債権額100万円は，経済的利益の供与として役員に対する給与とされる。

6　役員退職給与

①　役員退職給与の損金算入

役員に対する退職給与は原則として損金に算入される。ただし，支給した役員退職給与のうち不相当に高額な部分の金額は損金に算入されない（法34②）。

過大な役員退職給与の金額とは，役員の業務従事期間，退職の事情，同業類似規模の他法人の支給状況等に照らして，その支給した退職給与の金額のうち，退職給与として相当であると認められる金額を超える金額をいう（令70二）。

（例3）　役員大山太郎退職につき，退職給与 5,000,000 円（うち過大退職給与と認められる金額は 1,000,000 円である）の支給が確定し，ただちに現金にて支給した。この場合の会計処理を示し，税務上の取扱いにつき説明しなさい。

〈答〉
〈仕　訳〉
　　（借）　役員退職給与　5,000,000　　　　（貸）　現　　　金　5,000,000

この場合，過大退職給与 1,000,000 円は損金不算入とされる。したがって，当期純利益に 1,000,000 円が加算されて，所得金額が算出される。

②　役員退職給与の損金算入の時期

退職した役員に対する退職給与の額の損金算入の時期は，株主総会の決議等により，その額が具体的に確定した日の属する事業年度とされる。ただし，法人が，その退職給与の額を支給した日の属する事業年度において，その支給した額について損金経理をした場合には，その処理が認められる（基通9-2-28）。

③　役員の分掌変更等の場合の退職給与

役員の分掌変更または改選による再任等に際し退職給与を支給する場合がある。この場合，次に示す事実のように，分掌変更等により役員としての地位または職務内容が激変し，実質的に退職したと同様の事情にあると認められる場合には，退職給与として認められる（基通9-2-32）。

(1) 常勤役員が非常勤役員（代表権を有するもの，および代表権を有しないが実質的に法人の経営上主要な地位を占めていると認められるものを除く）になったこと。

(2) 取締役が監査役（実質的に法人の経理上主要な地位を占めていると認められる者等を除く）になったこと。
(3) 分掌変更後における報酬が激減（おおむね50％以上の減少）したこと。

《税務計画メモ》
(1) 役員給与（役員退職給与以外）の決定には，過大役員給与とならないように留意する。過大役員給与は損金不算入となるため，法人には法人税，役員個人には所得税が両者に課税されることになり，租税負担は重くなる。
(2) 役員退職給与の支給に当たっては，過大退職給与とならないよう留意する。
(3) 役員に対する経済的利益の供与として認定される行為は避けるべきである。
(4) 役員給与（役員退職給与を除く）で損金算入される「定期同額給与」「事前確定届出給与」「利益連動給与」に関する一定の要件を，慎重に確認して適用することが必要である。

第2節　寄　附　金

　寄附金は，法人の財務諸表においては，当然，費用として収益より控除されるものである。しかし，税法は，寄附金の性格上，所得金額の計算において一定額に限って損金算入を認め，その一定額を超過する金額は損金不算入とする。この場合，損金に算入される金額は，「一般寄附金の損金算入限度額」，「指定寄附金等の額」および「特定公益増進法人に対する寄附金の損金算入限度額」の合計額とされる。さらに，税法は寄附金をその形式によってのみ判断せず，その実質によって取り扱うこととしている。

1　寄附金の範囲

　寄附金（contributions）とは，無償にて資産を贈与することをいう。多くの場合は，現金によって支出されるが，税法は，現金以外によっても実質的に寄附金

の性質を有するものを，寄附金として取り扱う。

すなわち，寄附金，きょ出金，見舞金その他いずれの名義をもってするかを問わず，金銭その他の資産または経済的な利益の贈与または無償の供与をした場合，その贈与のときのそれぞれの価額を寄附金とする。ただし，広告宣伝費および見本品費，交際接待費，福利厚生費とされるべきものは除かれる（法37⑦）。

さらに，時価より低い価額で資産を譲渡したような場合は，時価で売却して対価との差額を贈与したとみなして，寄附金として取り扱う。すなわち，資産の譲渡または経済的な利益の供与をした場合，その対価の額が資産の譲渡時における価額（時価）または経済的利益の供与時における価額（時価）に比して低いときは，その価額（時価）と対価の額の差額のうち，実質的に贈与または無償供与したと認められる金額は，寄附金の額に含めるのである（法37⑧）。

（例1）　現金100,000円を学校法人関西学園に寄附した。
　　〈仕　訳〉
　　　（借）　寄　附　金　100,000　　（貸）　現　　　金　100,000
（例2）　建物（時価6,000,000円，帳簿価額2,000,000円）を現金2,500,000円にて譲渡した。
　　〈仕　訳〉
　　　（借）　現　　　金　2,500,000　　（貸）　建　　　物　2,000,000
　　　（借）　寄　附　金　3,500,000　　（貸）　建物売却益　4,000,000
　　　（注）　無償譲渡による寄附金については，「第3章　各事業年度の所得金額　例2」を参照されたい。

2　寄附金の損金算入限度額

①　一般寄附金の損金算入限度額

寄附金は，元来その企業活動との直接的な関連がなく，その支出を無制限に損金算入するときは，課税所得と税額の軽減をもたらすので，法人税法では，一定の限度を設けて損金算入を認めている。すなわち，寄附金は，資本金等の額や所得金額の一定割合を限度として損金に算入される。

一般寄附金の場合，次の算式により計算された金額が損金算入限度額となる（法37①，令73）。

　　　イ　期末資本金等の額 $\times \dfrac{\text{事業年度の月数}}{12} \times \dfrac{2.5}{1,000}$

ロ　当期所得金額 × $\dfrac{2.5}{100}$

$\dfrac{イ + ロ}{4}$ ＝ 損金算入限度額

(注)　資本のない普通法人等（所得金額 × $\dfrac{2.5}{100}$），学校法人・社会福祉法人（所得金額の $\dfrac{50}{100}$，年200万円に満たない場合には年200万円），その他の公益法人（所得金額 × $\dfrac{20}{100}$）については，所得基準のみによる（令73）。

この場合の所得金額は，寄附金を損金処理する前の所得金額である。

(例3)　下記資料に基づき，A株式会社の自平成X1年4月1日至平成X2年3月31日事業年度の寄附金の損金算入限度額と所得金額を計算しなさい。なお，寄附金以外の申告調整項目はない。

　　　当期に損金経理した寄附金　　　　　100,000 円
　　　期末資本金等の額　　　　　　　　10,000,000 円
　　　当期所得金額（寄附金支出後）　　 1,000,000 円

〈答〉

　イ　資本基準　　10,000,000 円 × $\dfrac{12}{12}$ × $\dfrac{2.5}{1,000}$ ＝ 25,000 円

　ロ　所得基準　　1,000,000 円 ＋ 100,000 円 ＝ 1,100,000 円（寄附金支出前所得）

　　　　　　　　　1,100,000 円 × $\dfrac{2.5}{100}$ ＝ 27,500 円

　$\dfrac{イ + ロ}{4}$　　$\dfrac{25,000 + 27,500}{4}$ ＝ 13,125 円（損金算入限度額）

　　　　　　　　　100,000 円 － 13,125 円 ＝ 86,875 円（損金不算入額）

　　　（寄附金支出後所得金額）＋（損金不算入額）
　　　　　　1,000,000 円 ＋ 86,875 円 ＝ 1,086,875 円（所得金額）

② 　国・地方公共団体に対する寄附金および指定寄附金の損金算入

　寄附金は，一般的には，資本金等の額と所得金額に比例して，一定割合を損金算入される。ただし，寄附金が公益目的のためである場合は，むしろ奨励されるべきものとして，その性格上，全額損金に算入される。これには，次の2種類がある（法37③）。

(1)　国または地方公共団体に対する寄附金（特別の利益がその寄附をした者に及ぶと認められるものを除く）。

(2)　指定寄附金

　公益社団法人，公益財団法人その他公益目的の事業を行う法人，団体に対する

寄附金のうち，次の要件を満たすものとして財務大臣が指定したもの。
- (イ) 広く一般に募集されること。
- (ロ) 教育または科学の振興，文化の向上，社会福祉への貢献，その他公益の増進に寄与するための支出で緊急を要するものに充てられることが確実であること。

（注）法人税申告書別表十四（二）では「指定寄附金等」と示されている。

③ 特定公益増進法人に対する寄附金の特別損金算入限度額

公益の増進（教育・科学の振興，文化の向上，社会福祉への貢献等）に寄与する法人の主目的である業務に関連する寄附金に対しては，一般寄附金の損金算入限度額とは別に，次の算式による損金算入限度額が計算される（法37④）。

イ　期末資本金等の額 $\times \dfrac{当期の月数}{12} \times \dfrac{3.75}{1,000}$

ロ　当期所得金額 $\times \dfrac{6.25}{100}$

$\dfrac{イ+ロ}{2}$ ＝特別損金算入限度額

主な特定公益増進法人は次のとおりである（令77）。

(1) 自動車安全運転センター，日本司法支援センター，日本私立学校振興・共済事業団，日本赤十字社
(2) 公益社団法人および公益財団法人
(3) 私立学校法第三条に規定する学校法人で，学校の設置を主たる目的とするもの
(4) 社会福祉事業法第22条に規定する社会福祉法人　等

(例4) 次の資料に基づき，自平成X1年4月1日至平成X2年3月31日事業年度の寄附金の損金算入額と，課税される所得金額を示しなさい。なお，寄附金以外の申告調整項目はない。

(1)	期末資本金等の額	60,000,000円
(2)	所得金額（寄附金控除後）	9,300,000円
(3)	損金経理の寄附金	700,000円

（同上の内訳）
　　一般の寄附金　　　　　　　　　　　200,000円
　　指定寄附金　　　　　　　　　　　　 50,000円
　　特定公益増進法人に対する寄附金　　450,000円

〈答〉
イ 一般寄附金の損金算入限度額
期末資本金等の額

$$60,000,000 \text{円} \times \frac{12}{12} \times \frac{2.5}{1,000} = 150,000 \text{円} \quad 資本基準$$

寄附金支出前所得

$$(9,300,000 \text{円} + 700,000 \text{円}) \times \frac{2.5}{100} = 250,000 \text{円} \quad 所得基準$$

$$\frac{150,000 \text{円} + 250,000 \text{円}}{4} = 100,000 \text{円}(a)$$

ロ 指定寄附金等の損金算入額　　　50,000円(b)

ハ 特定公益増進法人に対する寄附金の損金算入額
期末資本金等の額

$$60,000,000 \text{円} \times \frac{12}{12} \times \frac{3.75}{1,000} = 225,000 \text{円} \quad 資本基準$$

寄附金支出前所得

$$(9,300,000 \text{円} + 700,000 \text{円}) \times \frac{6.25}{100} = 625,000 \text{円} \quad 所得基準$$

① 特別損金算入限度額　$\dfrac{225,000 \text{円} + 625,000 \text{円}}{2} = 425,000 \text{円}$

② 特定公益増進法人に対する寄附金　　　450,000円

特定公益増進法人に対する寄附金
の損金算入額　①②の低い方　　　① 425,000円(c)

寄附金の損金算入額　(a)+(b)+(c)　　　575,000円
寄附金の損金不算入額　700,000円 − 575,000円 = 125,000円
所得金額
　　寄附金控除後所得金額　　損金不算入額
　　　9,300,000円　　＋　　125,000円　　＝　　9,425,000円

（注）未払寄附金，個人負担すべき寄附金，仮払経理寄附金，手形支払寄附金の処理が定められている。

《税務計画メモ》

無償譲渡や低額譲渡により譲渡益と寄附金の認定を受けるときは，譲渡益の益金算入，一定限度を超える寄附金の損金不算入をもたらし，税務上不利である。

第3節　交際費等

1　交際費等の損金不算入

　交際費等（entertainment expenses）とは，交際費，接待費，機密費等の費用で，法人が，その得意先，仕入先その他事業に関係する者等に対する接待，きょう応，慰安，贈答等の行為のために支出するものをいう。したがって，もっぱら従業員の慰安のための運動会，演芸会，旅行費の費用は交際費から除かれる（措法61の4）。

　交際費等に関する税制は，企業の冗費を抑え，自己資本の充実を図るために，一定額を超える金額を損金不算入として，企業の交際費等を抑制しようとするものである。交際費等の金額は，株主等に報告される損益計算書では費用となるものである。したがって，税法上の交際費等損金不算入額は，申告調整によって当期純利益に加算されて，所得金額が算定される。

　法人は，平成26年4月1日から平成30年3月31日までの間に開始する各事業年度において支出する交際費等の金額が，以下の通り損金に算入されない。

① 　期末資本金1億円超の法人
　　交際費等の額のうち接待飲食費の額の50％を超える部分の金額
② 　期末資本金1億円以下の法人
　　定額控除限度額〈中小法人等の定額控除限度額〉800万円 $\left(\times \dfrac{\text{事業年度の月数}}{12}\right)$ を超える部分の金額

　　　①の金額（接待飲食費の額の50％を超える部分の金額）を選択することもできる。

　要するに，交際費課税の基本的な考え方は，大企業については接待飲食費の額の50％を超える部分の金額を損金不算入とし，中小企業についてはその租税負担を配慮して一定額〈中小法人等の定額控除限度額〉を超過する金額を損金不算入にするということである。

（例1）　甲株式会社の期末資本金は1億3千万円である。事業年度は1年であり，当期支出交際費等は9,000,000円（このうち接待飲食費の額は800,000円）である。当期の交際費等損金不算入額を示しなさい。

資本金1億円超の法人については，交際費等の額のうち接待飲食費の額の50％を超える部分の金額が損金不算入となる。
　　接待飲食費損金算入限度額　800,000円×50/100＝400,000円
　　交際費等の損金不算入額　9,000,000円－400,000円＝8,600,000円
(例2)　乙株式会社は期末資本金が30,000,000円である。事業年度は1年であり，当期支出交際費等は9,000,000円である。なお，損益計算書における当期純利益は10,000,000円であり，交際費以外の申告調整項目はない。中小法人等の定額控除限度額により，当期の交際費等損金不算入額と所得金額を計算しなさい。
　　定額控除限度額を超える金額
　　　9,000,000円－8,000,000円＝1,000,000円　損金不算入額
　　申告調整
　　　当期純利益　　　　　　　　10,000,000円
　　（加算）
　　　交際費等損金不算入額　　　 1,000,000円
　　　所得金額　　　　　　　　　11,000,000円
　　（注）　資本金の額が5億円以上の法人による完全支配関係にある法人については，中小企業者に係る800万円の定額控除は適用されない（措法61の4）。

2　交際費等の範囲

　交際費等の損金不算入の計算において，どの費用を交際費等とし，または交際費等としないかは重要である。税法では，一般に交際費といわれているものより範囲が広く，交際費，接待費または機密費以外の科目で処理していても，その科目の名称にかかわらず，その費用の内容によって，実質的に交際費等であるかどうかを判定する。
(例3)　西山商事株式会社は期末資本金が40,000,000円であり，事業年度は1年である。当期の販売費及び一般管理費のうち，交際費等に関連する項目は次のとおりである。税法上の交際費等の金額を示しなさい。
　　交　際　費　7,600,000円　（全額取引先の接待，きょう応の費用）
　　広告宣伝費　5,800,000円　（左のうち取引先に対する贈答費用800,000円が含まれている）
　　雑　　　費　1,000,000円　（左のうち取引先に対する香典・祝金200,000円が含まれている）
　交際費等の金額は，交際費の全額，広告宣伝費のうち贈答費用，雑費のうち香典・祝金（次に述べる例示①(3)参照）が合計される。
　　　　　　　　　　　　　　　　（交際費等）
　　7,600,000円＋800,000円＋200,000円＝8,600,000円

① 交際費等に含まれる費用の例示

次のような費用は，原則として交際費等の金額に含まれるものとする（措通61の4⑴-15）。

⑴ 会社の何周年記念または社屋新築記念品，または社屋新築記念における宴会費，交通費および記念品代等
⑵ 下請工場，特約店，代理店等となるため，またはするための運動費等の費用
⑶ 得意先，仕入先等社外の者の慶弔，禍福に際し支出する金品等の費用
⑷ 得意先，仕入先その他事業に関係のある者等を旅行，観劇等に招待する費用
⑸ 製造業者または卸売業者が，その製品または商品の卸売業者に対し，その卸売業者が小売業者等を旅行，観劇等に招待する費用の全部または一部を，負担した場合のその負担額
⑹ いわゆる総会対策等のために支出する費用で，総会屋等に対して会費，賛助金，寄附金，広告料，購読料等の名目で支出する金品に係るもの
⑺ 建設業者等が高層ビル，マンション等の建設に当たり，周辺の住民を旅行，観劇等に招待し，酒食を提供した場合の費用
⑻ スーパーマーケット，百貨店等が既存の商店街等に進出するに当たり，周辺の商店等の同意を得るために支払った運動費等（営業補償等の名目のものも含む）
⑼ 得意先，仕入先等の従業員に対して取引の謝礼等として支出する金品の費用
⑽ 建設業者等が工事の入札等に際して支出する談合金その他類似費用
⑾ 得意先，仕入先等社外の者に対する接待，きょう応に要した費用で，広告費，売上割戻し等に該当しないもの

② 交際費等に含まれないもの

次の費用は交際費等に含まれない（措法61の4③，④，措令37の5，措規21の18の4）。

⑴ もっぱら従業員の慰安のために行われる運動会，演芸会，旅行等
⑵ カレンダー，手帳，扇子，うちわ，手ぬぐいその他これらに類する物品を

贈与するために通常要する費用
(3) 会議に関連して，茶菓，弁当その他これらに類する飲食物を供与するために通常要する費用
(4) 新聞，雑誌等の出版物または放送番組を編集するために行われる座談会その他記事の収集のために，または放送のための取材に通常要する費用
(5) 1人当たり5,000円以下の飲食その他これに類する行為のために要する費用（役員，従業員またはこれらの親族に対するものを除く）。なお，飲食年月日，参加得意先・仕入先等の氏名等，参加者数，費用額，飲食店等の名称等を記載した書類を保存することが必要である。

3　広告宣伝費と交際費等との区分

不特定多数の者に対する宣伝的効果を意図するものとし，次のようなものは交際費等に含まれない（措通61の4⑴-9）。
(1) 製造業者または卸売業者が，抽せんにより，一般消費者に対し金品を交付するために要する費用または一般消費者を旅行，観劇等に招待するために要する費用
(2) 製造業者または卸売業者が，金品引換券付販売に伴い，一般消費者に対し金品を交付するために要する費用
(3) 製造業者または販売業者が，一定の商品等を購入する一般消費者を旅行，観劇等に招待することをあらかじめ広告宣伝し，その購入した者を旅行，観劇等に招待する場合の費用
(4) 小売業者が商品の購入をした一般消費者に対し景品を交付するために要する費用
(5) 一般の工場見学者に製品の試飲，試食させる費用（これらの者に対する通常の茶菓等の接待に要する費用を含む）
(6) 得意先等に対する見本品，試用品の供与に通常要する費用
(7) 製造業者または卸売業者が，自己の製品またはその取扱商品に関し，これらの者の依頼に基づき，継続的に試用を行った一般消費者または消費動向調査に協力した一般消費者に対し，その謝礼として金品を交付するために通常要する費用

(注) 広告宣伝費のほか，寄附金，値引および割戻し，福利厚生費，給与等と交際費等の区分については，措通61の4(1)-1から61の4(1)-24において示されている。

(例4) 次の販売促進費につき税務上の処理を説明しなさい。
① 製造業者が得意先である卸売業者を接待する費用
② 製造業者が，一定商品購入消費者を旅行招待する広告により，一般消費者を旅行に招待する費用

〈答〉
①の得意先接待費は交際費等として，損金不算入の対象になる。それに対して，②の一般消費者旅行招待費は，不特定多数の一般消費者を対象にするため，広告宣伝費として損金に算入される。

《税務計画メモ》
(1) 交際費は損金不算入率が高く，租税負担の重い費用であるから，その節減が必要である。
(2) 交際費は販売促進費の1つである。販売促進策の決定に当たっては，できる限り，その支出が損金に算入される広告宣伝費や売上割戻しの内容となるように，事前の検討が必要である。たとえば，旅行，観劇等の招待費用でも，その実施形態によっては，交際費等となる場合と広告宣伝費となる場合があることを指摘できよう。

第4節　租 税 公 課

1　損金不算入・損金算入項目

　法人は，その所得，資産，取引等に対して課せられる，種々の租税を負担する。それらは，株主への報告のために作成される財務諸表においては，費用として差し引かれる。税法の計算規定は，課税対象としての所得を算定するのを目的とするので，必ずしもすべての租税を損金に算入しない。その租税の性質上，企業経理において費用として処理した租税でも，所得計算上の損金に算入しないと定められているものがある。すなわち，法人の営業活動を営むために直接関連のある租税は損金に算入するが，課税所得の分配項目としての租税や，罰金的な性格の支出に対しては損金不算入としているのである。

損金不算入，損金算入の租税公課（taxes and duties）を示せば，次のとおりである（法38，39，39の2，40，41，55③，④）。

〈損金不算入〉
(1) 法人税および地方法人税
(2) 受益者等がない信託等，人格のない社団・財団等が納付した贈与税および相続税
(3) 国税に係る延滞税，過少申告加算税，無申告加算税，重加算税
(4) 国税に係る不納付加算税
(5) 印紙税法の規定による過怠税
(6) 道府県民税，市町村民税および都民税
(7) 地方税法の規定による延滞金（延納によるものを除く），過少申告加算金，不申告加算金および重加算金
(8) 罰金および科料（外国または外国地方公共団体が課するものを含む）ならびに過料
(9) 国民生活安定緊急措置法の規定による課徴金および延滞金
(10) 私的独占の禁止および公正取引の確保に関する法律の規定による課徴金および延滞金
(11) 同族会社の第二次納税義務により代位納付した国税または地方税
(12) 外国子会社からの受取配当に係る外国源泉税額
(13) 法人税額から控除する所得税額
(14) 法人税額から控除する外国税額

〈損金算入〉
損金不算入に挙げられた租税公課以外は損金に算入される。

2　損金不算入の主要な租税公課

(1)　法人税（通常の法人税のほか，附帯税〔利子税を除く〕を含む）

　法人税（corporation tax, corporate income tax）は，法人の所得に対して課せられる国税であり，課税所得の分配項目として損金に不算入とされる。

　さらに，法人税にはその附帯税が含まれる。附帯税（利子税を除く）には次のものがある。

㈡　延滞税
 ㈢　加算税　無申告加算税，過少申告加算税，重加算税

「延滞税」は，法人が法人税の納付を滞納したときにかかる附帯税である。法人は，各事業年度終了の日の翌日から 2 カ月以内に，税務署長に対して，その所得金額，法人税額等について申告（確定申告）をしなければならない（法 74）。そして，その申告期限までに，法人税を納付しなければならないこととなっている（法 77）。納付が納期限より遅れた場合には，法定納期限の翌日から完納する日までの期間に応じて，通常，年 14.6％ の割合で延滞税が課税される。ただし，法定納期限の翌日から 2 カ月を経過する日までの期間については，年 7.3％ の割合（「公定歩合＋4％」が 7.3％ 未満のときは，その特例割合）で延滞税が軽減される（通法 60 ②，措法 94）。延滞税は，法人税の滞納に対する一種の制裁であり，損金算入されるとその分だけ法人税の負担を軽くし，その目的に添わないため，損金不算入とされるのである。

延滞税が税金納付に関する附帯税であるのに対し，加算税は法人の申告に関する附帯税である。

「無申告加算税」は，期限後申告，無申告のように，法人がその申告期限までに申告書の提出をしなかった場合に課せられるもので，納付すべき税額に 15％（税額が 50 万円を超える部分は 20％）を乗じた金額である。ただし，期限後に自発的に申告した場合は，5％ に軽減される（通法 66 ①②③）。自主的に期限後申告（期限から 2 週間経過日まで）があった場合において，期限内申告の意思あったものと認められる場合には，無申告加算税は課されない（通法 66 ⑥）。

「過少申告加算税」は，その申告が過少であったために修正申告や更正があった場合，追加する法人税額に 10％ を乗じた金額が課せられるものである。なお，追加法人税額のうち期限内申告税額と 50 万円のいずれか多い金額を超える部分については，5％ 上乗せして 15％ の過少申告加算税が課せられる（通法 65）。

「重加算税」は，過少申告が悪質な場合に，過少申告加算税に代えて課せられる。すなわち，法人がその課税標準，税額等の計算の基礎となるべき事実の全部または一部を隠ぺいし，または仮装して申告をしていたときは，その追加税額に 35％ を乗じた金額が加算される。なお，重加算税に加えて無申告加算税が課せられる場合は 40％ となる（通法 68）。

加算税は行政上の制裁の性質を有するものであり，これを損金に算入するとき

は，法人税が軽減されてその効果が半減するので，損金不算入とするのである。

(2) 不納付加算税

法人は，役員，使用人に対する給与の支払，株主に対する配当金の支払等に際し，所得税を源泉徴収して，翌月の10日までにその金額を国に納付しなければならない。この場合，法定納期限までに完納されなかったときは，不納付の税額に対して10％が乗ぜられて，不納付加算税が課せられる。ただし，法定納期限後納税の告知を受けることなく，自発的に納付された場合は5％に軽減される。法定納期限後（期限から1月経過日まで）に自主納付された場合において，法定納期限までに納付する意思があったと認められるときは，不納付加算税が不適用となる（通法67①〜③）。

(3) 地方法人税

地方法人税（国税）は地方法人課税の偏在性を是正し，地方交付税の財源を確保するため，平成26年10月1日以後開始年度から創設された。地方法人税は，法人税申告書別表一（一）等の記載項目に追加され，損金不算入とされる。

(4) 道府県民税，市町村民税および都民税

法人税が所得に対して課せられる国税であるのに対し，道府県民税，市町村民税および都民税は住民税と呼ばれ，所得に対して課せられる地方税である。これらの税金は課税所得の分配項目として損金不算入とされる。その税額は，一律に課せられる均等割と，法人税額に一定税率を乗じて計算される法人税割の合計額（都道府県民税には利子等に課せられる利子割がある。）である。

(5) 地方税法に規定する延滞金（徴収猶予期間等につき徴収されるものを除く），
　　過少申告加算金，不申告加算金および重加算金

それぞれの内容は，国税の附帯税とほぼ同一である。

地　方　税	国　　税
延　滞　金	延　滞　税
過少申告加算金	過少申告加算税
不申告加算金	無申告加算税
重　加　算　金	重　加　算　税

(6) 罰金および科料ならびに過料

これらも，損金に算入されると法人税額を軽減せしめて，制裁の効果を半減さ

せるので，損金不算入とする。外国またはその地方公共団体が課す罰金または科料に相当するものについても，損金に算入されない。

(7) 同族会社の第二次納税義務により代位納付した国税，地方税

同族会社は，出資者の滞納税金につき，出資者に対し滞納処分を執行しても徴収することができないときは，二次的に滞納税金を代位納付する義務を負う。この場合の代位納付税金は損金不算入とされる。

(8) 法人税額から控除する所得税額，外国税額

法人が受け取る預金利息や株式の配当金等は，全額入金するのでなく，支払者において一定の所得税を源泉徴収され，その差額を受け取るわけである。この場合の所得税は，法人税の前払の性質を有するため，法人税額より控除することができる。税額控除される所得税は，法人税と同じ性格であるので，損金不算入とされる。

内国法人が外国において源泉を有する所得がある場合，外国の法令によって外国法人税を納付する。しかも，外国所得部分は，わが国の法人税によっても課税が行われるため二重課税となる。したがって，外国から生じた所得に対応する部分の金額を限度として，法人税から外国法人税額を控除するのである（法69）。この場合の控除される外国税額は，法人税に代わる性質のものであるので，当然，損金不算入とされる。

　　　(注)　税額控除を適用しない所得税額および外国法人税額は，損金に算入される。

(9) 確定申告による租税債務の確定に基づいて未払処理される，法人税および地方法人税，住民税および事業税等（事業税および地方法人特別税）計上額は損金に算入されない。これらの金額は，申告調整において，「損金経理をした納税充当金」として所得金額に加算される。

3　損金算入の主要な租税公課

(1)　事業税等（事業税および地方法人特別税）

事業税（enterprise tax）は，都道府県に対して納付される地方税である。それは，営業税の性格を有し，事業活動に関連するものとして損金に算入される。課税標準は，原則として所得金額であるが，平成16年度から，資本金1億円超の法人に対し外形標準課税（付加価値，資本）が加わった。さらに，平成20年度

に法人事業税の一部を分離して，地方法人特別税（国税）が創設された。通常，事業税および地方法人特別税（以下，事業税等という）は前期の所得を課税標準として次の事業年度に納付されるから，前期分の事業税等（事業税および地方法人特別税）は次の事業年度において損金に算入される。

したがって，当期分の事業税等は翌期に納付されるものであるから，当期分の事業税等は，それを未払計上しても損金に算入しない。ただし，1年決算法人の中間申告分の事業税等は，その中間申告書が提出された日の属する事業年度（当期）の損金に算入することができる。すなわち，中間申告分の当期事業税等については，申告により債務が確定しているため，納付された場合も未納の場合も，当期の損金に算入することができる（基通9-5-1，9-5-2）。

(2) 固定資産税

固定資産税（property tax）は，土地，建物および償却資産に対し，市町村税として課せられるものであり，営業に必要な費用として損金に算入される。

(3) 自動車税，軽自動車税

これらは自動車や軽自動車の所有に対して課せられるもので，営業経費として損金に算入される。

(4) 法人税の利子税

法人税の確定申告（納付）期限については，災害等により決算が確定しない場合の延長，会計監査人の監査を受けなければならない場合の1カ月の延長の特例がある。この場合には，延長期間分について年7.3％（「公定歩合＋4％」が7.3％未満のときは，その特例割合）の利子税が課せられる（法75①，⑦，75の2①，⑥，措法93）。利子税は，合法的に納期を延長した税額について課せられる利子の性格を持つため，損金に算入される。

(5) 徴収猶予および納期限の延長の場合の延滞金

地方税においても徴収猶予および納期限の延長が認められ，延納分に対して延滞金が課せられるが，この場合の延滞金は損金算入とされる。

(6) 印紙税

印紙税（stamp tax）は，印紙を証書等に貼付し，消印することによって納税されるものである。受取証，約束手形，為替手形等に多く使われる。これらも営業取引に関連して生ずる費用として損金算入とされる。

（例1） 次の資料に基づき，損金不算入の租税公課および当期の所得金額を示しなさ

い。なお，租税公課以外に申告調整項目はない。

損 益 計 算 書
自平成×年4月1日　至平成×年3月31日（単位：円）

売 上 原 価	13,210,000	売　　　　　上　20,000,000
販売費・一般管理費	2,705,000	
租 税 公 課	1,585,000	
当 期 純 利 益	2,500,000	
	20,000,000	20,000,000

租税公課の内訳（支出金額）

法人税および地方法人税	1,000,000円	市町村民税	180,000円
法人税利子税	4,000	自 動 車 税	21,000
法人税延滞税	5,000	所得税（法人税額から控除）	15,000
法人税過少申告加算税	10,000	罰　　　金	10,000
事 業 税 等	210,000	固定資産税	50,000
道府県民税	80,000	合　　　計	1,585,000円

〈答〉

〈損金不算入租税公課〉

法人税および地方法人税	1,000,000円
法人税延滞税	5,000
法人税過少申告加算税	10,000
道府県民税	80,000
市町村民税	180,000
所 得 税	15,000
罰　　　金	10,000
合　　　計	1,300,000円

〈所得金額〉

当期純利益	2,500,000円
（加算）	
損金不算入租税公課	1,300,000
所得金額	3,800,000円

（注）損益計算書において，租税公課のうち，法人税等は別科目として計上されるが，問題の便宜上，一括して表示している。

4　租税の損金算入の時期

　法人が納付すべき国税および地方税で損金に算入されるものは，原則として，次に定める事業年度の損金に算入する（基通9-5-1，但し書きを除く）。

(1) 申告納税方式による租税

納税申告書に記載された税額については，その納税申告書が提出された日の属する事業年度とし，更正または決定に係る税額については，その更正または決定があった日の属する事業年度とする。

(2) 賦課課税方式による租税

賦課決定のあった日の属する事業年度とする。

(3) 特別徴収方式による租税

納入申告書に係る税額については，その申告の日の属する事業年度とし，更正または決定による不足税額については，その更正または決定があった日の属する事業年度とする。

(4) 利子税ならびに徴収猶予等の延滞金

納付の日の属する事業年度とする。

5 法人税等の会計処理

租税公課のうち，法人税および地方法人税，都道府県民税・市町村民税，事業税等（事業税および地方法人特別税）は，損益計算書において，「法人税，住民税および事業税等」の名称を用いて表示する。これらの税金の未払計上額は，貸借対照表の負債として，「未払法人税等」と表示する（財規49，95の5）。損益計算書では，税引前当期純利益から「法人税，住民税および事業税等」（以下，「法人税等」を勘定科目に用いる）を差し引いて，財務会計上の当期純利益を算定する。

これらの納税は，確定申告と中間申告（通常前期実績基準）によってなされる。

(例2) A社（12月決算期）は8月に中間申告税額（前期実績額の6/12基準）法人税および地方法人税 1,200,000 円，住民税 240,000 円，事業税等 480,000 円を当座預金で納付した。

〈仕 訳〉
（借）法人税等 1,920,000 （貸）当座預金 1,920,000

事業税等 480,000 円は損金に算入される。法人税および地方法人税 1,200,000 円，住民税 240,000 円は損金不算入であるため，申告調整において「損金経理をした法人税および地方法人税」，「損金経理をした道府県民税および市町村民税」として，加算される。

(例 3) 期末において，要納付額（確定申告税額より中間申告税額を差し引き）として，法人税および地方法人税 2,000,000 円，住民税 400,000 円，事業税等 900,000 円を計上した。
〈仕　訳〉
　　（借）　法人税等　　　3,300,000　　（貸）　未払法人税等　3,300,000

この場合には，法人税等計上額は，申告調整（別表四）において「損金経理をした納税充当金」として損金不算入（加算）になる。

(例 4) 翌期の納期限に上記税額を当座預金より納付した。
〈仕　訳〉
　　（借）　未払法人税等　3,300,000　　（貸）　当　座　預　金　3,300,000

納付額 3,300,000 円のうち，前期分事業税等納付額 900,000 円は損金に算入されるため，申告調整（別表四）において「納税充当金から支出した事業税等」として減算する。

(例 5) 次の資料に基づき所得金額を計算しなさい。

<u>損　益　計　算　書</u>
自平成 X1 年 4 月 1 日　至平成 X2 年 3 月 31 日

売　　　　　上	50,000,000 円
売　上　原　価	<u>40,000,000</u>
売　上　利　益	10,000,000
販売費・一般管理費	<u>5,820,000</u>
税引前当期純利益	4,180,000
法　人　税　等	<u>970,000</u>
当　期　純　利　益	<u>3,210,000</u> 円

1　法人税等の内訳は次のとおりである。
　　中間申告納付額

法人税および地方法人税	240,000 円
道府県民税および市町村民税	70,000
事業税等	<u>80,000</u>
	390,000 円

　　確定申告期末計上額

法人税および地方法人税	360,000 円
道府県民税および市町村民税	100,000
事業税等	<u>120,000</u>
	580,000 円

2　当期中に納税充当金より支出した租税公課の内訳は，次のとおりである。
　　前期分法人税および地方法人税　　　　　　　350,000 円

前期分道府県民税および市町村民税	80,000
前期分事業税等	100,000
	530,000 円

3　租税公課以外の申告調整項目はない。

〈答〉

当期純利益	3,210,000 円
（加算）	
損金経理をした法人税および地方法人税	240,000
損金経理をした道府県民税および市町村民税	70,000
損金経理をした納税充当金	580,000
（減算）	
納税充当金より支出した事業税等	100,000
所　得　金　額	4,000,000 円

（注）「損金経理をした納税充当金」は，法人税等期末計上額580,000円である。

第5節　貸倒損失

　事業の遂行上生じた受取手形，売掛金，貸付金等の金銭債権の回収不能による損失は，貸倒損失（bad debts）である。会社法や財務会計の立場よりすれば，回収不能のおそれあるものについてはできるだけ早く貸倒れ処理を行い，財政状態の表示を健全ならしめることを重視する。それに対し税法においては，租税負担の軽減と結びつく以上，貸倒れの厳密な解釈を要求し，貸倒れの確定したことの立証を求める。したがって，税法の基準は厳密にならざるを得ない。そのため，貸倒処理に弾力性を持たせる趣旨の規定も設けられている。

　貸倒損失に認められる場合には，次のものがある。

① 　金銭債権の全部または一部の切捨てをした場合の貸倒れ

　法人の有する金銭債権（売掛金，貸付金等）について，次の事実が生じた場合，発生年度に貸倒れとして損金に算入する（基通9-6-1）。

(1)　会社更生法または民事再生法による更生計画の認可の決定に伴い，切り捨てられることとなった部分の額

(2)　会社法の規定による特別清算に係る協定の認可もしくは整理計画の決定または破産法の規定による強制和議の認可決定に伴って，切り捨てられること

になった部分の金額
(3) 法令による整理手続によらない関係者の協議決定に伴って，切り捨てられた金額
　　イ　債権者集会の協議決定で合理的な基準により，債務者の負債整理を定めているもの
　　ロ　行政機関または金融機関その他の第三者のあっせんによる当事者間の協議により締結された契約で，債務者の負債整理を定めているもの
(4) 債務者の債務超過の状態が相当期間継続し，その貸金等の弁済を受けることができないと認められる場合において，その債務者に対し書面により明らかにされた債務免除額

(例1)　東西商店が倒産し，債権者集会の決定により，当社が有する東西商店への売掛金 1,000,000 円のうち 70% を切り捨て，残額は現金にて受け取った。
　　〈仕　訳〉
　　　（借）　貸　倒　損　失　　700,000　　（貸）　売　掛　金　1,000,000
　　　（借）　現　　　　　　金　　300,000

② 回収不能の金銭債権の貸倒れ

　法人の有する金銭債権につき，その債務者の資産状況，支払能力等からみて，その全額が回収できないことが明らかになった場合には，その明らかになった事業年度において貸倒れとして損金経理することができる。この場合において，その貸金等について担保物があるときは，その担保物を処分した後でなければ貸倒れとして損金経理することはできない。また保証債務は，現実にこれを履行した後でなければ貸倒れの対象にすることはできない（基通 9-6-2）。

③ 一定期間取引停止後弁済がない場合等の貸倒れ

　債務者について，次に掲げる事実が発生した場合には，その債務者に対して有する売掛債権（売掛金，未収請負金その他これに準ずる債権をいい，貸付金その他これに準ずる債権を含まない）について，法人がその売掛債権の額から備忘価額（1円）を控除した残額を貸倒れとして損金経理したときは，その処理は認められる（基通 9-6-3）。

(1) 債務者との取引を停止したとき以後1年以上経過した場合（担保物のある場合を除く）

(2) 法人が同一地域の債務者について有している売掛債権の総額が，その取立てのために要する旅費その他の費用に満たない場合で，それらの債務者に対し支払を督促しても弁済がない場合

(例2) 南北商店に対する売掛金100,000円は，同店との取引停止後1年以上経過しても弁済なきため，貸倒処理を行った。

〈仕 訳〉
　(借) 貸倒損失　99,999　　（貸）　売掛金　99,999
南北商店に対する売掛金は備忘価額の1円となる。
　（注） 出版業を営む法人は，その販売業者がまだ販売していない雑誌（店頭売れ残り品）に係る売掛金に対して，返品債権特別勘定を繰り入れることができる（基通9-6-4）。

《税務計画メモ》

(1) 貸倒損失の損金算入は，貸倒れの確定を必要とし，それを明らかにする証拠書類を用意する必要がある。貸倒損失は多額に上り，債権者である法人の財務を著しく圧迫することも多い。できるだけ早く貸倒れを確定させて損金に算入し，租税負担の軽減を図ることが重要である。
(2) 貸倒れが確定する以前においても，1年以上取引停止後弁済がない場合等の貸倒れ（備忘価額1円を残す）の取扱いを利用する。

第6節　資産評価損

　法人が資産の帳簿価額を減額して，評価損（valuation loss）を計上した場合，各事業年度の所得金額の計算上，損金に算入しない。したがって，税務上は，その資産の帳簿価額より評価損の金額が減額されなかったものとみなされるのである（法33①，③）。会社法計算規則は資産評価について原価主義を示している（計規5①）。税法においても原価主義をとり，原則として評価損を認めていない。
　ただし，次のような特定の事実が生じ，時価が帳簿価額を下ることとなった場合において，損金経理により帳簿価額を減額したときは，評価損の損金算入が認められる（法33②，令68）。

① 棚卸資産

(イ) 災害により著しく損傷したこと。

(ロ) 著しく陳腐化したこと。

その例としては，通常の価額で販売できないことが既往の実績で明らかな季節商品の売残り，画期的な新製品の発売による旧製品の陳腐化がある（基通9-1-4）。

(ハ) 会社更生法等の規定による更生計画認可の決定があったことにより，棚卸資産について評価換えをする必要が生じたこと。

(ニ) (イ)から(ハ)までに準ずる特別の事実

その例としては，破損，型くずれ，たなざらし等により通常の方法で販売できない場合，および民事再生法による再生手続開始決定による棚卸資産の評価換えがある（基通9-1-5）。

② 有価証券

(イ) 市場価格のある有価証券（令119の13一～三）の価額が著しく低下したこと（企業支配株式等を除く）。

(ロ) 市場価格のない有価証券および市場価格のある企業支配株式等について，その有価証券を発行する法人の資産状態が著しく悪化したため，その価額が著しく低下したこと。

(ハ) 会社更生法等による更生計画認可の決定があったことにより，その有価証券について評価換えをする必要が生じたこと。

(ニ) (ロ)または(ハ)に準ずる特別の事実

上場有価証券の評価損の計上できる，「有価証券の価額が著しく低下したこと」とは，その有価証券の事業年度末における価額がそのときの帳簿価額のおおむね50%相当額を下回り，かつ，近い将来その価額の回復が見込まれないことをいう（基通9-1-7）。

③ 固定資産

(イ) 災害により著しく損傷したこと。

(ロ) 1年以上にわたり遊休状態にあること。

(ハ) その本来の用途に使用することができないため，他の用途に使用されたこと。

㈡　所在する場所の状況が著しく変化したこと。
㈤　会社更生法等による更生計画認可の決定があったことにより，固定資産につき評価換えをする必要が生じたこと。
㈥　㈠から㈤までに準ずる特別の事実
　（注）　このほか繰延資産についても定めがある。

　評価損の損金算入の規定を適用する場合における時価は，その資産が使用収益されるものとして，そのときにおいて譲渡される場合に通常付される価額による（基通9-1-3）。すなわち，期末における処分可能価額を意味する。

（例1）　A衣料会社は水害により商品に著しい損傷を受けた。損傷を受けた商品の帳簿価額は2,000,000円であり，その処分可能価額は800,000円である。時価の評価は適正であると認められる。この場合には，1,200,000円の評価損が計上できる。
　〈仕　訳〉
　　（借）　商品評価損　　1,200,000　　（貸）　商　　　　品　1,200,000

（例2）　A法人は甲上場株式を所有しており，その帳簿価額は1,200,000円である。甲株式は業績悪化のため，期末時価が400,000円に低落し，株価の回復は当分見込みがない。期末時価が帳簿価額に比べ著しく低下しているため，評価損を計上した。
　評価損　1,200,000円 − 400,000円 = 800,000円
　〈仕　訳〉
　　（借）　有価証券評価損　800,000　　（貸）　有　価　証　券　　800,000

（例3）　更生計画認可の決定により，機械の評価換えを行う必要が生じ，調査の結果，帳簿価額1,000,000円に対し時価400,000円と評価された。この場合は600,000円の評価損が計上できる。
　〈仕　訳〉
　　（借）　固定資産評価損　600,000　　（貸）　機械及び装置　　　600,000

《税務計画メモ》
⑴　棚卸資産が災害により著しく損傷したこと，著しく陳腐化した場合等には，評価損が計上できる。ただし，評価損の算定の根拠を明らかにする必要がある。
⑵　有価証券の価額が著しく下落した場合は，評価損が計上できる。
⑶　固定資産が災害により著しく損傷したり，1年以上遊休状態にあり，本来の用途に使用できず他の用途に使用されている場合等には，評価損が計上できる。

(4) 更生計画認可の決定に伴い，上記資産の評価換えをする場合には，評価損が計上できる。

第7節　その他の諸費用

1　保　険　料

①　社会保険料の損金算入の時期

健康保険・厚生年金保険の保険料，厚生年金保険の掛金・徴収金のうち，法人が負担すべき金額は，その保険料等の計算の対象となる月の末日の属する年度の損金に算入する（基通9-3-2）。

②　生命保険料

法人が生命保険に加入してその保険料を支払う場合は，次のように取り扱われる。

《養老保険の保険料》

法人が自己を契約者とし，役員または使用人を被保険者とする養老保険（被保険者の死亡または生存を保険事故とする生命保険）に加入してその保険料を支払った場合には，以下のように取り扱われる（基通9-3-4）。

▶死亡・生存保険金の受取人が法人である場合
　　支払保険料は，保険事故発生，保険契約の解除・失効による保険契約終了時までは資産に計上する。

▶死亡・生存保険金の受取人が被保険者・その遺族である場合
　　支払保険料は，役員・使用人に対する給与とする。

▶死亡保険金の受取人が被保険者の遺族，生存保険金の受取人が法人である場合
　　支払保険料の$\frac{1}{2}$を資産に計上し，残額は期間の経過に応じて損金に算入する。ただし，役員・部課長その他特定の使用人（これらの親族を含む）の

みを被保険者としている場合には，その残額は役員・使用人に対する給与とする。

> （注）　定期保険の保険料に関する処理（基通9-3-5），長期損害保険契約の支払保険料に関する処理（基通9-3-9）も示されている。

③　確定給付企業年金等の掛金等の損金算入

　法人が，確定給付企業年金等の掛金等を支出した場合には，支出事業年度に損金の額に算入する。確定給付企業年金等には，退職金共済，確定給付企業年金，確定拠出企業年金等がある（令135）。

（例1）　A株式会社（契約者）は役員甲を被保険者，A株式会社を受取人とする生命保険（養老保険）に加入し，保険料500,000円を現金で支払った。
〈仕　訳〉
（借）　生　命　保　険　積　金　500,000　　（貸）　現　　　金　500,000

（例2）　B株式会社（契約者）は使用人乙を被保険者および受取人とする生命保険（養老保険）に加入し，保険料200,000円を現金で支払った。
〈仕　訳〉
（借）　使　用　人　給　与　200,000　　（貸）　現　　　金　200,000

（例3）　C株式会社は，退職金共済掛金700,000円を現金で支払った。
（借）　退　職　金　共　済　掛　金　費　700,000　　（貸）　現　　　金　700,000

（例4）　D株式会社は，確定拠出企業年金掛金900,000円を現金で支払った。
（借）　確定拠出企業年金掛金費　900,000　　（貸）　現　　　金　900,000

2　損害賠償金

①　損害賠償金の支出

　法人の役員または使用人がした行為等によって他人に与えた損害について，法人が損害賠償金を支出した場合には，次による（基通9-7-16）。

(1)　その損害賠償金の対象となった行為等が法人の業務の遂行に関連するものであり，かつ，故意または重過失に基づかないものである場合には，その支出した損害賠償金の額は給与以外の損金に算入する。

(2)　その損害賠償金の対象となった行為等が，法人の業務の遂行に関連するものであるが，故意または重過失に基づくものである場合，または法人の業務の遂行に関連しないものである場合には，その支出した損害賠償金の額はそ

の役員または使用人に対する債権とする。

② 損害賠償金に係る債権の処理

　法人が損害賠償金を役員または使用人に対する債権として支出した場合，その役員または使用人の支払能力等からみて求償できない事情にあるため，その全部または一部に相当する金額を貸倒れとして損金経理した場合には，その処理は認められる。ただし，その貸倒れ等とした金額のうち，その役員または使用人の支払能力等からみて回収が確実であると認められる部分の金額については，その役員または使用人に対する給与とされる（基通9-7-17）。

③ 自動車による人身事故に係る内払いの損害賠償金

　自動車による人身事故（死亡または傷害事故をいう）に伴い，損害賠償金（役員または使用人に対する債権とした場合を除く）として支出した金額は，示談の成立等による確定前においても，その支出年度の損金に算入することができる。この場合，損金算入した損害賠償金に相当する金額の保険金は益金の額に算入する（基通9-7-18）。

3　海外渡航費

　法人がその役員または使用人の海外渡航に際して支給する旅費は，その海外渡航がその法人の業務の遂行上必要なものであり，かつ，その渡航のため通常必要と認められる部分の金額に限り，旅費として損金算入される。

　法人の業務の遂行上必要とは認められない海外渡航の旅費や，法人の業務の遂行上必要と認められる海外渡航であっても，旅費のうち通常必要と認められる金額を超える部分の金額は，原則として，その役員または使用人に対する給与とされる（基通9-7-6）。

4　会費および入会金等

《同業団体等の会費》

　法人が所属する協会，連盟その他の同業団体等に対して支出した会費について

は，通常会費であれば，原則として，その支出年度の損金となる。会館の建設，会員相互の共済や懇親，政治献金等の分担額として支出するその他の会費については，前払費用とし，同業者団体等がこれらの支出した日にその費途に応じてその法人が支出したものとされる（基通9-7-15の3）。

> （注） 上記のほか，ゴルフクラブの入会金・年会費等（基通9-7-11～13），レジャー・クラブの入会金（基通9-7-13の2），社交団体の入会金等，ロータリークラブおよびライオンズクラブの入会金等（基通9-7-14，9-7-15，9-7-15の2）についての取扱いがある

5　前払費用等の処理

①　短期の前払費用

　前払費用の額は翌期以降に繰り延べるべきであるが，法人が，前払費用の額でその支払日から1年以内に提供を受ける役務に係るものを支払った場合において，その支払金額を継続して支払事業年度の損金に算入しているときは，この処理は認められる（基通2-2-14）。

②　消耗品費等

　消耗品等の棚卸資産の取得に要した費用は，その棚卸資産を消費した事業年度の損金に算入すべきものである。ただし，法人が事務用消耗品，作業用消耗品，包装材料，広告宣伝用印刷物，見本品等の棚卸資産で，各事業年度ごとにおおむね一定数量を取得し，かつ，経常的に消費するものについては，期末棚卸計上を省略し，取得に要した費用額を継続して取得事業年度に損金算入している場合には，この処理が認められる（基通2-2-15）。

6　不正行為等に係る費用等の損金不算入

　法人が，所得金額・欠損金額・法人税額の計算の基盤となるべき事実の全部または一部を隠蔽仮装することにより，法人税の負担を減少させる等の場合には，隠蔽仮装行為に要する費用等の額は損金に算入されない（法55①）。

　独占禁止法・公正取引確保に関する法律による課徴金・延滞金（外国・外国地

方公共団体，国際機関が納付を命ずるものを含む）は損金に算入されない（法55④三）。

法人が供与する賄賂または外国公務員等に対する不正の利益の供与に相当する費用等は，損金に算入されない（法55⑤）。

> （注） このほか，次の定めがある。
> 　金銭債務に係る償還差益・差損の益金・損金算入（令136の2①）
> 　新株予約権を対価とする費用の帰属年度の特例等（法54①）

《税務計画メモ》

(1) 損害賠償金に関する債権の処理，海外渡航費，ゴルフクラブ等の入会金等については，役員に対する給与とみなされることがある。特に，その役員給与が損金に算入されない場合は，法人において損金不算入，役員において所得税の課税が生じ，租税負担が重くなるので，その支出について事前の検討が必要である。

(2) 短期の前払費用や消耗品費については，決算時に繰延べを行わず，支出年度の損金とする方が税務上有利である。

第9章 営業外収益

第1節　受取配当金

1　受取配当金の益金不算入

①　通　則

受取配当金の取扱いは法人課税の基本的な問題であり，その取扱いは法人の本質観や所得課税の体系に関連を持つものである。税法は，法人を個人株主の集合体であるとの立場において，法人の所得は終局的には配当により個人株主に帰属すると考える。そこで，法人税を個人の所得税の前払いとみなし，法人および個人の二重課税（double taxation）を調整するために，所得税法に個人の配当所得に対する配当控除（所法92）を設けている。さらに，法人が他の法人の株式を保有することによって配当を受け取った場合に，受取配当金（dividends received）を益金に算入するときは，配当支払法人と配当受取法人に法人税が2回課せられることになり，配当控除による調節ができなくなる。そこで，法人税の重複課税を調整するため，受取配当金を法人経理において収益に計上しても，課税所得の計算においては，受取配当金が益金不算入とされる。益金不算入割合は以下のとおりである。

区　分	益金不算入割合
完全子法人株式等（株式等保有割合100％）	100分の100
関連法人株式等（株式等保有割合3分の1超）	100分の100

その他の株式等（5％超3分の1以下）　　　　　　　　100分の50
　　非支配目的株式等（株式等保有割合5％以下）　　　　100分の20
　この場合における配当等の額は，次のとおりである（法23①，令19の3）。
(1)　内国法人から受ける剰余金の配当（資本剰余金の減少等に伴うものを除く。），利益の配当または剰余金の分配（出資に係るものに限る。）の額
　要するに，税法上の利益積立金から配当されたものが税法上の配当等の金額となる。
(2)　証券投資信託（公社債投資信託を除く。）の収益分配金（オープン型については特別分配金を除く。）の2分の1相当額

　　（注1）　株式会社では「剰余金の配当」，持分会社では「利益の配当」という。
　　（注2）　主として外国通貨表示の株式，債券等に運用する証券投資信託の収益分配金については，原則として，その4分の1相当額を配当等とする。

　受取配当金の益金不算入は，確定申告書に益金の額に算入されない配当額およびその計算に関する明細の記載がある場合に限り，適用される（法23⑤）。

②　短期所有株式に係る受取配当金の益金算入

　受取配当金の元本である株式等を，その配当計算期間の末日前1カ月以内に取得し，かつ，その株式等と同銘柄のものを末日後2カ月以内に譲渡した場合，その譲渡した株式等の一定数に対する配当については，益金不算入の規定は適用しない（法23③，令20）。

　これは，決算期直前に株式等を取得して受取配当金を益金不算入とし，配当落ちにより値下がりした株式を直後に売却して，売却損を損金算入するというような，二重控除を防ぐためのものである。

③　負債利子控除

　受取配当金の元本である株式等の取得に必要な支払利子がある場合は，受取配当金より株式等に係る部分の負債利子を控除した金額を，益金不算入の対象とする。これは，受取配当金の益金不算入，支払利息の損金算入による二重控除を避けるためのものである。

　平成27年度税制改正により，負債利子控除の対象となる株式等が関連法人株式等に限定された。関連法人株式等に係る受取配当金の益金不算入額は次のとお

りである。

　　　関連法人株式等に係る配当の額－関連法人株式等に係る負債利子額

　関連法人株式等に係る負債利子額は，その事業年度において支払う負債利子額に対して，総資産の帳簿価額（当期末＋前期末）に対する関連法人株式等の帳簿価額（当期末＋前期末）の割合を乗じて，案分計算する（法23④，令22）。

④　受取配当金の会計処理

　配当金を受け取る場合，支払法人において所得税等を源泉徴収し，差引金額を受け取ることとなるので，税引きでなく，その総額によって計上することが必要である。

（例1）　山川株式会社より，当社の持株に対する配当金50,000円，所得税等の源泉徴収税額10,210円，差引39,790円を受け取り，当座預金に預け入れた。この場合の仕訳を示しなさい。
　　〈仕　訳〉
　　（借）　当座預金　39,790　　　（貸）　受取配当金　50,000
　　（借）　租税公課　10,210
　　　（注）「租税公課」は，「法人税等」としてもよい。

2　受取配当金の申告調整

　内国法人から受け取る配当等の額は，申告調整を要件として益金不算入とされる。益金不算入の申告調整は，次のとおり，確定した決算利益から減算することによって行われる。

《受取配当金益金不算入額》
　A　完全子法人株式等
　　　配当の額×100％
　B　関連法人株式等
　　　（配当の額－株式等に係る負債利子額）×100％
　C　その他の株式等（株式等保有割合5％超3分の1以下）
　　　配当の額×50％
　D　非支配目的株式等（株式等保有割合5％以下）
　　　配当の額×20％
　　　　　　申告調整
　　　　　　　　当期純利益

(減算)
　受取配当金の益金不算入額
　所得金額

(例2)　(完全子法人株式等に係る受取配当等の場合)
　B株式会社の下記の当期損益計算書に基づき，税法上の所得金額を示しなさい。

損　益　計　算　書
自平成×年×月×日　　至平成×年×月×日（単位：円）

売上原価	7,000,000	売　　　上	10,000,000
営業費	2,000,000	受取配当金	100,000
当期純利益	1,100,000		
	10,100,000		10,100,000

(1) 受取配当金は子会社（持株比率100%）よりの配当金である。
(2) 受取配当金の益金不算入割合は100%である。
(3) 受取配当金以外の申告調整項目はない。

〈答〉
　このケースでは，受取配当金の全額が益金不算入となる。
　当期純利益　　　　　　　1,100,000円
　(減算)
　受取配当金の益金不算入額　　100,000円
　所　得　金　額　　　　　1,000,000円

(例3)　(その他の株式等に係る受取配当等の場合)
　下記の資料に基づき，受取配当金の益金不算入額および税法上の所得金額を計算しなさい。

当期損益計算書　　　　　（単位：円）

売上原価	40,000,000	売　　　上	48,000,000
営業費	5,500,000	受取配当金	3,000,000
支払利息	500,000		
当期純利益	5,000,000		
	51,000,000		51,000,000

(1) 受取配当金はその他の株式等に係る受取配当金（益金不算入割合50%）である。
(2) 証券投資信託を取得したことはない。
(3) 受取配当金以外の申告調整項目はない。

〈答〉
　このケースでは，受取配当金の50%が益金不算入とされる。
　受取配当金の益金不算入額
　受取配当金
　3,000,000円×0.5＝1,500,000円

申告調整
　　当期純利益　　　　　　　　　　　　5,000,000 円
　　（減　算）
　　受取配当金の益金不算入額　　　　　1,500,000 円
　　所得金額　　　　　　　　　　　　　3,500,000 円

3　外国子会社配当の益金不算入

　内国法人が，外国子会社（持株割合 25% 以上）から受ける剰余金の配当等がある場合には，益金不算入とする。益金不算入の計算では，その配当等の額から，その配当等の額の 5% を費用相当額として控除する（法 23 の 2 ①，令 22 の 3 ②）。外国子会社から受け取る剰余金の配当等に係る外国源泉税額等は，損金不算入とされる（法 39 の 2）。

　　（注）　平成 21 年度税制改正において，外国子会社利益の国内還流を促進するために導入された。

　内国法人が外国子会社（持株割合 25% 以上）から受ける配当等の額で，その配当等の額の全部又は一部が当該外国子会社の本店所在地国の法令において当該外国子会社の所得の金額の計算上損金の額に算入することとされている場合には，その受取配当等の額は，益金不算入の対象外とされる（法 23 の 2 ②一）。

4　みなし配当

　配当金は利益積立金を源泉とする分配金であり，剰余金の処分によって決定されるものである。剰余金の処分以外の場合にも，実質的に利益積立金の分配の効果を持つ場合がある。例えば，合併，分割型分割，資本の払戻し等，自己株式の取得等において，交付を受けた金額のうちに支払法人の利益積立金からなる金額があるときは，利益配当と実質的に異ならない。このようなものを税法上の配当とみなし，通常の受取配当金と同じく益金不算入の規定が適用される。これを「みなし配当」という（法 24）。

　　（注）　適格合併，適格分割型分割の場合は，移転資産は帳簿価額により移転したものとされ，利益積立金も引き継がれる（法 2 十二の八，十二の十二，法 62 の 2）。そのため，みなし配当が生じない。

《税務計画メモ》
(1) 受取配当金の益金不算入の適用は、確定申告書に申告調整がなされ、その計算に関する明細を記載することが必要である。

第2節 還 付 金

　法人の納付した国税、地方税の過誤納税金は還付される。法人が還付金を受け取った場合、通常、収益として経理される。しかし、税法上の各事業年度の所得金額の計算においては、納付に際して損金不算入とされた税金の還付金は益金に算入しない。それに対し、損金算入項目である税金の還付金については益金に算入する（法26）。その内訳を示せば、次のとおりである。

益金不算入還付金	法人税および地方法人税、都道府県民税、市町村民税、所得税等
益金算入還付金	事業税等（事業税および地方法人特別税）、自動車税、固定資産税等

　還付金があった場合、その税金の納付日の翌日からその還付支払決定日までの期間に応じ、年7.3％（「公定歩合＋4％」が7.3％未満のときは、その特例割合）の還付加算金が付けられる（通法58、地法17の4、措法93、95）。これは、還付金に対する受取利子的なものとして益金算入とされる。

　(例1)　下記の資料により、他に申告調整項目がないと仮定して、A株式会社の税法上の所得金額を計算しなさい。

損 益 計 算 書
自平成×年×月×日　至平成×年×月×日　（単位：円）

売 上 原 価	40,000,000	売　　　　上	10,000,000
営 業 費	8,000,000	還 付 金	1,000,000
当期純利益	3,000,000		
	51,000,000		51,000,000

還付金の内訳
　法人税および地方法人税　　700,000 円
　事 業 税 等　　　　　　　　200,000
　市 　民 　税　　　　　　　　55,000
　県 　民 　税　　　　　　　　35,000
　還付加算金　　　　　　　　　10,000　　1,000,000 円

〈答〉

当期純利益		3,000,000 円
（減算）		
益金不算入還付金		
法　人　税	700,000 円	
市　民　税	55,000	
県　民　税	<u>35,000</u>	<u>790,000</u>
所得金額		<u>2,210,000</u> 円

第3節　資産評価益

　会社法は原価主義を原則としている（計規5）。税法も，同様に原価主義に基づき，資産の評価益（valuation profit）を益金に算入しない。すなわち，法人が有する資産の評価換えをして，その帳簿価額を増額した場合には，その増額した金額は益金に算入されない。そして，税務上はその資産の帳簿価額は増額されなかったものとみなされる（法25①）。

　ただし，次の場合には評価益の計上を認めている（法25②, ③, 令24）。

(1)　会社更生法等の規定により更生計画認可の決定に伴って行う評価換え
(2)　民事再生法の規定により再生計画認可の決定等に伴って行う資産の評価換え
(3)　保険会社が保険業法第112条（株式の評価の特例）の規定に基づいて行う株式の評価換え

（例1）　法人の更生手続開始決定に伴って，取得価額100万円の土地を時価500万円に増額した。この場合の評価益400万円は益金に算入される。その仕訳を示せば次のとおりである。
　　〈仕　訳〉
　　　（借）　土　　地　3,000,000　　（貸）　固定資産評価益　3,000,000

第4節　受　贈　益

① 無償譲受け

各事業年度の益金に算入されるべき金額には，無償による資産の譲受けの収益

も含められている（法22②）。

　無償で資産を譲り受けた場合には，その時価をもって取得価額とし，同時にその金額が受贈益として益金に算入される。また，時価に比べて低い価額で資産を取得した場合，時価と譲受価額との差額が，当事者における贈与の実質を持つものと認められる場合には，購入価額に贈与額を加えた金額が取得価額となり，その贈与額は益金に算入される。

　(例1)　A株式会社はB株式会社より土地（時価1,000,000円，B社における帳簿価額200,000円）の贈与を受けた。税法の取扱いに一致した仕訳を示しなさい。
　　〈仕　訳〉
　　　（借）　土　　　地　1,000,000　　（貸）　受　贈　益　1,000,000
　(例2)　A株式会社はB株式会社より土地（時価1,000,000円，B社における帳簿価額200,000円）を300,000円で取得し，代金は現金で支払った。税法の取扱いに一致した仕訳を示しなさい。
　　〈仕　訳〉
　　　（借）　土　　　地　1,000,000　　（貸）　現　　　金　　300,000
　　　　　　　　　　　　　　　　　　　　　　　受　贈　益　　700,000

②　広告宣伝用資産の受贈益

　販売業者等が製造業者等から資産を無償で取得した場合は，製造業者の取得価額を経済的利益の額として益金に算入する。また，製造業者の取得価額より低い価額で販売業者が資産を取得した場合も，その差額を益金に算入する。ただし，次に掲げるような広告宣伝用資産を取得した場合には，一定額以内の受贈益に課税されない特例が定められている（基通4-2-1）。

　(イ)　受贈益の発生のない広告宣伝用資産

　広告宣伝用の看板，ネオンサイン，どん帳のようにもっぱら製造業者等の広告宣伝用の資産の贈与を受けた場合には経済的利益がないとして課税されない。

　(ロ)　経済的利益の伴う広告宣伝用資産

　法人が取得した下記の広告宣伝用資産について，経済的利益とされる金額は，次の算式のとおりである。ただし，経済的利益が30万円以下であるときは，経済的利益がないものとされる。

$$\text{製造業者等における取得価額} \times \frac{2}{3} - \text{販売業者等が取得のために支出した額} = \text{経済的利益}$$

　(1)　自動車で車体の大部分に一定の色彩を塗装して製造業者の製品名または社

名を表示し，広告宣伝目的が明らかなもの
(2) 陳列棚，陳列ケース，冷蔵庫または容器で，製造業者等の製品または社名の広告宣伝目的が明らかなもの
(3) 展示用モデルハウスのように製造業者等の製品の見本であることが明らかなもの

(例3) A販売会社は，B製造会社より，下記の広告宣伝用資産を贈与または現金にて取得した。

		製造会社の取得価額	販売会社の取得のための支出額
(1)	製造業者の広告宣伝用ネオンサイン	400,000円	0
(2)	製造業者名を表示した広告宣伝を兼ねる自動車	900,000円	600,000円
(3)	製造業者の製品および社名の広告宣伝を目的とする陳列ケース	840,000円	200,000円

税法の取扱いに合わせて，仕訳を行いなさい。

〈答〉
(1) 経済的利益もなく，受贈益も計上されない。仕訳も必要がない。
(2) 受贈益は次のとおり生じない。
　900,000円 $\times \frac{2}{3}$ − 600,000 = 0円
　〈仕　訳〉
　　（借）車両運搬具　600,000　（貸）現　　金　600,000
(3) 受贈益　840,000円 $\times \frac{2}{3}$ − 200,000円 = 360,000円
　〈仕　訳〉
　　（借）器具及び備品　560,000　（貸）現　　金　200,000
　　　　　　　　　　　　　　　　　（貸）受　贈　益　360,000

《税務計画メモ》
(1) 無償で資産を譲り受ける場合は，受贈者において時価でもって受贈益が課税され，譲渡者においては時価による譲渡益が課税される。したがって，資産の贈与は税務上思わぬ負担を受贈者，贈与者にもたらすことになるので注意が必要である。
(2) 経済的利益を伴う広告宣伝用資産については，製造業者の取得価額の3分の2の金額で販売業者が取得する等，受贈益が生じないよう配慮が必要である。

第10章 有価証券の譲渡損益および時価評価損益

1 有価証券の範囲

　法人税法上の有価証券（securities）とは，金融商品取引法第2条に規定する有価証券とこれに準ずる所定の有価証券をいう（法2二十一，令11，規8の3の2）。

　有価証券の中で重要なのは，「金融商品取引法第2条第1項（定義）に規定する有価証券」である。その主要項目を示せば，以下のとおりである。

- イ　国債証券
- ロ　地方債証券
- ハ　特別の法律により法人（農林中央金庫等）が発行する債券
- ニ　社債券
- ホ　特別の法律により設立された法人（日本銀行等）の発行する出資証券
- ヘ　株券・新株引受権証券
- ト　証券投資信託・外国証券投資信託の受益証券
- チ　貸付信託の受益証券
- リ　法人が事業に必要な資金を調達するために発行する約束手形のうち，内閣府令で定めるもの（CP：コマーシャル・ペーパー）等

　　（注）　上記のほか，有価証券に準ずる項目についても定めがある。

2 有価証券の譲渡損益の計算

　有価証券の譲渡損益額は次のとおり計算される（法61の2①，令119の2②）。

　譲渡対価額－譲渡原価＝譲渡損益

　譲渡損益は，譲渡契約日の属する事業年度に計上する。

譲渡原価額の計算は次のとおりである。

$$\begin{pmatrix} 移動平均法または総平均法により \\ 算出した一単位当たり帳簿価額 \end{pmatrix} \times (譲渡有価証券の数) = (譲渡原価)$$

1単位当たりの帳簿価額の計算は，有価証券の取得価額を基に，有価証券を次の区分別にそれぞれ銘柄ごとに行う。

(1) 売買目的有価証券
(2) 満期保有目的等有価証券
(3) その他有価証券

3　有価証券の区分

有価証券の区分を表示すれば，次のとおりである（令119の2,119の12）。

有価証券の区分内容

売買目的有価証券	(一) 短期売買取引専担者が短期売買目的で，その取得取引を行ったもの（専担者売買有価証券） (二) 短期売買目的有価証券の取得である旨を帳簿に記載したもの (三) 金銭信託のうち，金銭支出日に短期売買目的有価証券の取得である旨を帳簿に記載したもの
満期保有目的等有価証券	(一) 償還期限まで保有する目的で取得した旨を取得日に有価証券帳簿に記載しているもの (二) 企業支配株式等（株式等保有割合20％以上）
その他有価証券	上記以外の有価証券をいう

4　有価証券の取得価額

有価証券の取得価額は，取得方法別に，主として，次のとおり算定する（令119①）。

(1) 購入した有価証券

その購入代価（購入手数料等のある場合には取得費用を加算する）。

(2) 金銭払込みにより取得した有価証券

その払込み金額（取得費用のある場合にはそれを加算する）。

　（注）　このほか，有利発行取得・合併等受入等の有価証券等につき取得価額の定めがあ

(例1) 当社は甲社株式（その他有価証券）1,000株を1株800円で購入し，手数料10,000円を含め，現金で支払った。
　〈仕　訳〉
　　（借）　その他有価証券　　810,000　　（貸）　現　　金　　810,000
(例2) 当社は，第三者割当てにより，乙社株式（その他有価証券）を1,000株を1株600円（時価相当額）にて引き受けることになり，現金を払い込んだ。
　〈仕　訳〉
　　（借）　その他有価証券　　600,000　　（貸）　現　　金　　600,000

5　有価証券の1単位当たりの帳簿価額の算出方法

有価証券の1単位当たりの帳簿価額の算出方法については，移動平均法または総平均法のいずれかを選定する。その選定は，有価証券の区分ごとに，かつ，有価証券の種類ごとに行わなければならない（令119の5）。有価証券は価格変動の大きい場合が多く，その平均単価の算定が重要であるため，これら二つの平均法が用いられる。

算出方法を選定しなかった場合，または選定した方法により算出しなかった場合には，法定算出方法として，移動平均法が用いられる（令119の7）。

(例3) 当社は，丙社株式（その他有価証券）につき，以下の取引を行った。
　㈠移動平均法および㈡総平均法により，期末（12月31日）における1株当たり帳簿価額を算出しなさい。
　　1月 1日　前期繰越　1,000株　@　900円　　900,000円
　　6月 5日　増資払込　1,000株　@　700円　　700,000円
　　9月30日　売　　却　　　　　　　　　　　　　　　　　500株
　　12月10日　購　　入　2,000株　@1,150円　2,300,000円
　　　　　　　　　　　　4,000株(A)　　　　　3,900,000円(B)　500株

㈠　移動平均法
　有価証券の増減のつど，平均単価を計算する方法である。
　　　　　　　　　　　　　　　（増　加）　　　　　　（減　少）　　　　　（残　高）
　1/ 1　前期繰越　1,000株 @　900円　　900,000円　　　　　　　　　　　　1,000株 @　900円　　900,000円
　6/ 5　増資払込　1,000株 @　700円　　700,000円　　　　　　　　　　　　2,000株 @　800円　1,600,000円
　9/30　売　　却　　　　　　　　　　　　　　　　　　500株 1,500株 @　800円　1,200,000円
　12/10　購　　入　2,000株 @1,150円　2,300,000円　　　　　　　　　　　　3,500株 @1,000円　3,500,000円
丙社株式1株当たり期末帳簿価額
12月10日購入時の移動平均単価　3,500,000円÷3,500株＝1,000円

(二) 総平均法

「前期繰越額＋当期増加額」を「前期繰越株数＋当期増加株数」で除して，有価証券の当期中における総平均単価を計算する方法である。

丙社株式1株当たり期末帳簿価額
　3,900,000円(B)÷4,000株(A)＝975円

(例4)　例3において，移動平均法を選定しており，9月30日に丙社株式を1株950円で売却し，代金を現金にて受け取った場合における，売却損益を仕訳で示しなさい。

950円×500株＝475,000円　売却代金
9月30日における移動平均法による1株当たり帳簿価額　800円
800円×500株＝400,000円　譲渡原価

〈仕　訳〉
（借）現　　　金　　475,000　　（貸）その他の有価証券　　400,000
　　　　　　　　　　　　　　　　　　有価証券売却益　　　75,000

（注）　このほか，合併の場合等（合併，減資，空売り，信用取引等）の譲渡対価額等の計算，有価証券の区分変更によるみなし譲渡の定めがある。

6　有価証券の区分と売買目的有価証券の評価損益

　法人が短期的な価格変動を利用して利益を得る目的で取得した有価証券については，売買目的有価証券として，時価法を適用し，評価益・評価損が益金・損金に算入される。それに対し，売買目的外有価証券には原価法が適用される。以下に，税法上の取り扱いについて説明したい。

①　有価証券の区分別評価方法

　有価証券の期末評価方法については，次の区分に定められている（法61の3①）。

　　一　売買目的有価証券　　　時価法
　　二　売買目的外有価証券　　原価法

　なお，売買目的外有価証券のうち，償還期限および償還金額の定めのあるものについては，帳簿価額と償還金額との差額（償還差額）のうち，その事業年度に配分すべき金額を，加算・減算した金額が評価額（償却原価法）とされる。

　これらを表示すれば次のとおりである。

有価証券の区分別評価方法

区　　分	帳簿価額の算出方法	期末評価法
売買目的有価証券	移動平均法 または 総平均法	時価法
売買目的外有価証券 　満期保有目的等有価証券 　その他有価証券		原価法 （償還期限・償還金額のあるものは償却原価法）

(例5) 当期首に満期保有目的等有価証券である債券（償還額1,000万円，償還期限6年後）を，現金940万円で取得した。
〈仕　訳〉
　（借）　満期保有目的等有価証券　　9,400,000　　（貸）　現　　　金　　9,400,000
(例6) 当期末において，償還差益の当期配分額（〔1,000万円－940万円〕÷6年＝10万円）を計上する。
　（借）　満期保有目的等有価証券　　　100,000　　（貸）　受 取 利 息　　 100,000

② 売買目的有価証券の評価益・評価損

事業年度末に売買目的有価証券を有する場合には，その売買目的有価証券の評価益は益金に，評価損は損金に算入する。

なお，売買目的有価証券の評価益または評価損は，翌事業年度に洗替え処理を行う（法61の3③，令119の15）。

(例7) 第1期中に売買目的で甲株式1,000万円を現金で取得した。
　（借）　売買目的有価証券　　10,000,000　（貸）　現　　　金　　10,000,000
(例8) 第1期末における甲株式の時価が1,200万円である。
　（借）　売買目的有価証券　　 2,000,000　（貸）　有価証券評価益　 2,000,000
(例9) 翌期首である第2期首において，甲株式の第1期末評価益200万円を洗い替える。
　（借）　有価証券評価益洗替損　2,000,000　（貸）　売買目的有価証券　2,000,000
(例10) 第2期末における甲株式の時価は900万円である。
　（借）　有価証券評価損　　　 1,000,000　（貸）　売買目的有価証券　1,000,000
(例11) 第3期首において，甲株式の第2期末評価損100万円を洗い替える。
　（借）　売買目的有価証券　1,000,000　（貸）　有価証券評価損洗替益　1,000,000
(例12) 第3期中に，甲株式のすべてを850万円で売却し，現金を受け取った。
　（借）　現　　　金　　　　 8,500,000　（貸）　売買目的有価証券　10,000,000
　（借）　有価証券売却損　　 1,500,000
　（注）　デリバティブ取引に係る利益・損失相当額，繰延ヘッジ処理による利益・損失額の繰延べ，時価ヘッジ処理による利益・損失額の計上についても，定めがある。

第11章
繰延資産の償却

　繰延資産は，適正な期間損益計算の立場より，その効果の長期に及ぶ支出を，支出年度にのみ費用とすることなく，資産に計上し，その効果の及ぶ年数にわたり償却を通じて費用化するものである。

　企業会計原則は，将来の期間に影響する特定の費用につき，次期以後の期間に配分して処理するため，経過的に貸借対照表の資産の部に，繰延資産として記載することができるとしている（会計原則第三，1Ｄ）。

　会社計算規則では，資産の部に繰延資産の区分を示しているが，その項目としては具体的に記載せず，繰延資産として計上することが適当であると認められるものとしている（計規106条①，③五）。

　財務諸表等規則においては，次のものを繰延資産と定めている（財規36）。

　創立費，開業費，株式交付費，社債発行費，開発費

　税法は，上記の繰延資産に加えて，税法独自の繰延資産を定めている（令14）。

1　繰延資産の種類

　法人が支出する費用のうち，支出の効果がその支出の日以後1年以上に及ぶものを繰延資産（deferred assets）という（法2二十四）。

　法人税法においては，次のものを繰延資産と定めている（令14①）。

(1)　創立費（organization expenses）

　発起人に支払う報酬，設立登記のために支出する登録税，その他法人の設立のために支出する費用で，その法人の負担に帰すべきものをいう。

(2)　開業費（initial cost of business）

　法人の設立後営業を開始するまでの間に，開業準備のために特別に支出する費

用をいう。

(3) 開発費（development expenses）

新技術もしくは新経営組織の採用，資源の開発，市場の開拓または新事業の開始のために特別に支出する費用をいう。

(4) 株式交付費（stock issue cost）

株券等の印刷費，増資登記の登録免許税等，自己株式の交付のために支出する費用をいう。

(5) 社債等発行費（bond issue cost）

社債券等の印刷費，その他債券（新株予約権を含む）の発行のために支出する費用をいう。

(6) その他の繰延資産

(1)から(5)までの通常の繰延資産に加え，税法独自の繰延資産がある。すなわち，次に掲げる費用で支出の効果が，支出の日以後1年以上に及ぶものは繰延資産とされる（令14①八）。

  (イ) 自己が便益を受ける公共的施設または共同的施設の設置または改良のために支出する費用
  (ロ) 資産を賃借しまたは使用するために支出する権利金，立退料その他の費用
  (ハ) 役務の提供を受けるために支出する権利金その他の費用
  (ニ) 製品等の広告宣伝の用に供する資産を贈与したことにより生ずる費用
  (ホ) (イ)から(ニ)までに掲げる費用のほか，自己が便益を受けるために支出する費用

2　繰延資産の償却限度額

繰延資産の償却費は，法人が損金経理した金額のうち，法定の償却限度額に達する金額まで，損金に算入される（法32）。したがって，損金経理された繰延資産の償却費と償却限度額との間に差異があれば，償却不足や償却超過が生じる（令64）。

償却超過は損金不算入とされるが，次に述べるように，①の通常の繰延資産では生ぜず，②その他の繰延資産（税法が独自に定めた項目）の償却において生ず

る。
　繰延資産の償却限度額は，次のように計算される。

①　創立費，開業費，開発費，株式交付費，社債等発行費

　その繰延資産の額が償却限度額となる。すなわち，法人が計上した任意の償却額をもって，損金算入額とする。

　企業会計基準委員会実務対応報告第19号「繰延資産の会計処理に関する当面の取扱い」（平成18年8月11日）において，繰延資産の支出時費用処理を原則としながら，次のものを繰延資産に計上できるとし，償却年数を示している。

創立費・開業費・開発費	5年以内の効果の及ぶ期間
株式交付費	3年以内の効果の及ぶ期間
社債発行費等	償還までの期間

　上記の5年内，3年内ということは1年でもよいわけであり，全額償却も可能である。

　要するに，税法は繰延資産の額（すでに償却した額を控除した金額）をもって償却限度とし，法人が任意に計上した償却額を損金算入額としている。

②　その他の繰延資産の償却

　その他の繰延資産の償却限度額については，その費用の支出の効果の及ぶ期間の月数で除して，これにその事業年度の月数を乗じて計算する。この場合，支出の日の属する事業年度については，その事業年度の月数は支出の日からその事業年度終了の日までの期間の月数とする。なお，月数は暦に従って計算し，1カ月に満たない端数が生じたときは1カ月として計算する（法32，令64）。

　その算式を示せば，次のとおりである。

$$繰延資産の額 \times \frac{当期の月数}{支出の効果の及ぶ期間の月数} = 償却限度額$$

　これらの繰延資産の償却期間は通達において定められている（基通8-2-3）。その主要なものを挙げれば，次のとおりである。

(イ)　公共的施設の負担金
　(1)　施設が負担者によってもっぱら使用される場合
　　　施設の耐用年数 $\times \dfrac{7}{10}$

(2) その他の場合

施設の耐用年数 $\times \dfrac{4}{10}$

(ロ) 共同的施設の負担金

(1) 施設が負担者または構成員の共同の用に供される場合等

 (A) 施設の建設部分の負担金

  施設の耐用年数 $\times \dfrac{7}{10}$

 (B) 土地の取得に充てられた負担金

  45 年

(2) 商店街における共同のアーケード，日よけ，アーチ，すずらん灯等

5 年（その施設の耐用年数が 5 年未満の場合はその耐用年数）

(ハ) 借家権利金

(1) 建物の新築に際し賃借部分の建設費の大部分に相当する権利金を支払い，実際上建物の存続期間中賃借ができる場合

建物の耐用年数 $\times \dfrac{7}{10}$

(2) 借家権の転売ができる場合

建物の賃借後の見積残存耐用年数 $\times \dfrac{7}{10}$

(3) その他の場合

5 年（契約期間が 5 年未満で，契約の更新時に権利金の支払を要する場合は，その賃借期間）

(ニ) 電子計算機の賃借に伴って支出する金額

電子計算機の耐用年数 $\times \dfrac{7}{10}$ （その年数が賃借期間を超えるときは，その賃借期間）

(ホ) ノーハウの頭金

5 年（契約の有効期間が 5 年未満であり，更新時に頭金の支払を要する場合は，その有効期間）

(ヘ) 広告宣伝用資産の贈与費用

その資産の耐用年数 $\times \dfrac{7}{10}$ （最高 5 年）

なお，償却期間の計算において，1 年未満の端数があるときは，その端数を切り捨てる。

③ 少額な繰延資産の損金算入

法人が均等償却を行う繰延資産に関する費用を支出する場合，その支出が 20

万円未満であるものについて，支出年度において損金経理した場合は，その年度の損金に算入される（令134）。

（例1）　A株式会社は，会社設立に当たり創立費 600,000 円を小切手にて支出した。第1期決算において全額を償却した。なお，A社の事業年度は1年である。この場合の仕訳を示しなさい。

〈仕　訳〉

設立時　（借）　創　立　費　600,000　　（貸）　当座預金　600,000
期　末　（借）　創業費償却　600,000　　（貸）　創　立　費　600,000

この場合は，第1期において全額損金算入が認められる。

（例2）　次の資料に基づき，期首において支出した建物権利金の当期（1年決算）償却限度額を示しなさい。

支出金額　　500,000 円
支出の効果の及ぶ期間の月数　　5年（60カ月）

〈答〉
$500,000 \times \dfrac{12}{60} = 100,000$ 円　償却限度額

（例3）　A株式会社は，平成×年1月10日に商店街のアーケードの負担金として 600,000 円を現金にて支出した。同社の決算期は毎年3月末である。なお，アーケードの償却期間は5年である。当期の償却限度額を示し，償却限度額どおり損金経理を行いなさい。

支出後の当期の月数　1/10～3/31　3カ月（1月未満切上げ）
償却期間　5年（60カ月）
$600,000 \text{ 円} \times \dfrac{3}{60} = 30,000$ 円　償却限度額

〈仕　訳〉

1/10　（借）　共同的施設負担金　600,000　　（貸）　現　　　金　600,000
3/31　（借）　共同的施設負担金償却費　30,000　　（貸）　共同的施設負担金　30,000

《税務計画メモ》

(1)　繰延資産（税法独自の繰延資産を除く）は，税法上任意に償却することができる。税務上は繰延資産を支出年度に全額償却することが有利である。

(2)　税法独自の繰延資産について，少額（20万円未満）の場合には支出年度に損金算入ができる。

第12章 リース取引

　リース利用の増加に伴い，リース取引の性格が多様化している。リース契約には，通常の賃貸借の内容を持つもの，売買取引の実態を有するもの，実質的に金融取引であるもの等がある。税務においても，その取引の経済的実態を反映した処理が必要とされている。

1　リースの区分

　賃貸借取引の形態は，大きく分けて，次の通りである。

(イ)	オペレーティング・リース	費用処理　税務上のリース取引の対象外
(ロ)	ファイナンス・リース	資産の売買取引
	所有権移転リース取引	通常の減価償却方法（定額法，定率法，生産高比例法）
	所有権移転外リース取引	リース期間定額法

　オペレーティング・リースは通常の賃貸借取引として，支払賃借料を費用処理する。オペレーティング・リースは税法上のリース取引の対象とはならない。
　ファイナンス・リースには，所有権移転リース取引と所有権移転外リース取引とがあり，税法では所有権移転外リース取引を中心に，リース取引の処理が定められている。

2　売買とされるリース取引

　リース契約が多様化，高度化するにしたがい，金融を伴った売買取引の経済的

実態を持つファイナンス・リース（finance lease）が普及してきている。そこでは，賃貸借期間が資産の法定耐用年数より相当短かく定められ，そのリース料合計が資産の取得価額およびリース取引付随費用の合計額のおおむね全部を支弁するよう定められ，中途解約が禁止されている。このようなファイナンス・リースを通常の賃貸借と同様に取り扱うことは，資産使用の初期において，法定減価償却限度額より多額のリース料を早期に損金算入することによって，賃借人に課税の繰延べの結果をもたらす。このような期間所得計算のゆがみを防ぐため，ファイナンス・リース取引は，税務上リース物件の引渡時の売買取引とされる。

3　リース取引・リース資産等の定義

(イ)　リース取引

次の要件に該当する資産の賃貸借をいう（法64の2③）。
　一　賃貸借契約が賃貸借期間の中途に解除できないもの
　二　賃借人が賃貸借資産からもたらされる経済的利益を享受し，かつ，資産使用に伴う費用を実質的に負担するもの

なお，賃貸借期間の賃貸借金額合計が，資産取得価額のおおむね90％を超える場合は，資産使用に伴う費用を実質的に負担するものとされる（令131の2②）。

(ロ)　リース資産

リース資産とは，所有権移転外リース取引において取得した減価償却資産をいう（令48の2⑤四）。

(ハ)　リース資産の売買

リース取引を行った場合，リース資産の引渡しの時に売買があったものとされる（法64の2①）。

4　所有権移転外リース取引

次のいずれかに該当するもの以外のリース取引をいう（令48の2⑤五）。
(1)　リース期間の終了時または中途において，リース資産が無償または名目的対価額で，賃借人に譲渡されるもの
(2)　賃借人に対し，リース期間の終了時または中途において，リース資産を著

しく有利な価額で買い取る権利が与えられているもの
(3) リース資産の種類，用途，設置の状況等に照らし，リース資産がその使用可能期間中，その賃借人によってのみ使用される見込みであり，またはリース資産の識別が困難であるもの
(4) リース期間がリース資産の耐用年数に比べて相当短いもの（賃借人の法人税を著しく軽減するものに限る）

この場合における「相当短いもの」とは，リース期間がリース資産の耐用年数の70％（耐用年数10年以上のリース資産については60％）に相当する年数を下回る期間であるものをいう（基通7-6の2-7）。

所有権移転外リース取引資産については，リース期間定額法が適用される。

5　所有権移転リース取引

所有権移転外リース取引以外のリース取引をいう（基通7-6の2-10(1)）。所有権移転リース取引によって取得された資産については，通常の減価償却方法（定額法，定率法，生産高比例法）が適用される。

6　リース資産の減価償却法

(イ)　リース期間定額法

所有権移転外リース取引資産（リース資産）については，リース期間定額法を用いて減価償却を行う（令48の2①六）。その算式は，次のとおりである。

$$\text{リース資産の取得価額} \times \frac{\text{当該事業年度のリース期間の月数}}{\text{リース期間の月数}} = \text{償却限度額}$$

　　(注)　残価保証額がある場合は取得価額より控除する。

(ロ)　賃借料として経理した場合の償却費損金経理

リース資産につき賃借料として損金経理した金額は，償却費として損金経理した金額に含まれる（令131の2③）。

(ハ)　リース資産の取得価額

賃借人におけるリース資産の取得価額は，原則としてそのリース期間中に支払うべきリース料の合計額による。ただし，リース料の合計額のうち利息相当額を

合理的に区分することができるときは，利息相当額控除後の額をリース資産の取得価額とすることができる（基通7-6の2-9）。

(例1) 事務用備品を1年間の契約で賃借し，当月分リース料として100,000円を現金にて支払った。なお，契約は契約期間中に任意に解約できることになっている。税務上の取扱いに一致して仕訳を示しなさい。

〈答〉
　〈仕　訳〉
　　（借）支払賃借料　100,000　　（貸）現　　金　100,000

(例2) 当社（事業年度1年）は当期首に機械設備をリース期間7年で契約（中途解約禁止）した。本契約は所有権移転外リース取引である。リース料は月額10万円であり，リース期間定額法による当期償却限度額を示しなさい。

〈答〉
　取得価額　　100,000円×84カ月（7年）＝8,400,000円
　当期減価償却限度額　　$8,400,000 円 \times \frac{12}{84} = 1,200,000$ 円

(例3) 当社（事業年度1年）は当期首に機械設備（取得価額6,000,000円）を所有権移転リース取引により取得（平成24年4月1日以後取得分）した。償却法は定率法を適用しており，その耐用年数は8年，定率法の償却率は0.250である。当期償却限度額を計算しなさい。

〈答〉
　6,000,000円×0.250＝1,500,000円　償却限度額

7　金銭の貸借とされるリース取引

譲受人から譲渡人への賃貸を条件に資産売買を行った場合，資産の種類，売買・賃貸の事情等に照らして，実質的に金銭の貸借と認められるときは，売買がなく金銭の貸借があったものとされる（法64の2②）。

所有資産をいったんリース会社に譲渡した上，これをリース契約により賃借することをリースバック（leaseback）という。リースバックは，その取引の意図，物件の内容等からみて，実質的にリース会社から借入れをした金融取引と認められることがあり，このような場合はその譲渡がなかったものと取り扱われる。

(例4) 当社所有の機械（税務簿価760万円）をリース会社に800万円で譲渡し，直ちにリースバック（期間5年）を行った。このリース取引は実質的に金融取引と認められ，リース料は年額185万円（元本返済額160万円，利息相当額25万円）である。税務上の取扱いに一致して，リースバック契約時およびリース料支払時（現金預金）の仕訳を示しなさい。

〈仕訳〉

リースバック契約時	（借）	現金預金	8,000,000	（貸）	借入金	8,000,000
年間リース料支払時	（借）	借入金	1,600,000	（貸）	現金預金	1,850,000
	（借）	支払利息	250,000			

8　リース取引における賃貸人の処理

　リース取引における賃貸人である法人は，リース資産の引渡日にリース資産の売買があったものとして，各事業年度の所得金額を計算する（法64の2①）。

　リース取引によるリース資産の引渡し（リース譲渡）については長期割賦販売等に含まれ，延払基準によって所得金額を計算することができる。すなわち，リース譲渡の対価を「利息相当額（〈リース譲渡対価 − 原価〉×20/100）」と「その他の部分」に分けて，延払基準により益金および損金に算入することができる（法63②，令124③）。

第13章
引当金・準備金

第1節　貸倒引当金

1　法人税法における引当金

　法人税法では，損金に算入する販売費，一般管理費その他の費用は，償却費を除き，原則として期末までに債務の確定しているものに限るとしている（法22③）。したがって，債務が未確定な引当金は，法人税法上，原則として認められない。しかし，企業会計において適正な損益計算に必要なものとして一般に認められている引当金については，特に法令に別段の定めを設けて，税法上の繰入れを認めている。

《引当金の損金経理の方式》

　法人税法に定められた引当金の損金算入には損金経理が必要であり，損金経理額のうち繰入限度額の範囲内で損金に算入される。貸倒引当金その他定められた引当金については，繰入額と取りくずし額を総額で経理することが原則である。ただし，繰入額と取りくずし額の差額を損金経理により繰入れまたは取りくずしている場合でも，確定申告書の明細書にその相殺前の総額に基づく繰入れであることを明らかにしているときは，総額により繰入れと取りくずしがあったものとされる（基通11-1-1）。

　　（注）　本章における例示は，「総額繰入方式（洗替え方式）」により説明されているが，「差額繰入方式」も適用できることに留意されたい。

2　貸倒引当金の繰入れと洗替え

　貸倒引当金は，金銭債権（売掛金・受取手形・貸付金等）につき，将来に発生が予測される貸倒れの損失を計上するものである。

　法人税法に定められた引当金として貸倒引当金があり，以下にその説明を行いたい。

《貸倒引当金の適用法人》

　平成23年度税制改正により，貸倒引当金を適用できる法人は，中小法人（資本金1億円以下）等，銀行，保険会社等に限定された（平成24年4月1日以後開始年度に適用）。

①　繰入限度額—2つの繰入限度額—

　法人が，その有する金銭債権の貸倒れ等による損失の見込額として，各事業年度において損金経理により貸倒引当金（allowance for bad debts）勘定に繰り入れた金額については，一定の金額に達するまでの金額は，損金に算入する（法52）。

　貸倒引当金の損金算入限度額は，次の2つの金額の合計額となる。

$$\begin{pmatrix}個別評価債権貸倒\\引当金繰入限度額\end{pmatrix} + \begin{pmatrix}一括評価債権貸倒\\引当金繰入限度額\end{pmatrix} = 貸倒引当金繰入限度額$$

②　個別評価する金銭債権の貸倒引当金の繰入限度額

　個別に評価する金銭債権に対する貸倒引当金の繰入限度額は，当該事業年度末において，その一部について貸倒れその他これに類する事由による損失が見込まれる金銭債権のその損失の見込額の合計額である（法52①）。その具体的な事由は次のとおりである（法52①，令96①一〜四，規25の2，25の3）。

(1) 当該金銭債権が，次の事由によって，弁済が猶予，または，賦払弁済される場合，その金銭債権額のうち，その事由が生じた事業年度の終了日の翌日から5年経過日までに弁済されることになっている金額を差し引いた額（担保権の実行等により取立等の見込みがある部分の金額を除く）

　(イ)　会社更生法・金融機関の更生手続特例法の規定による更生計画認可の決定

　(ロ)　民事再生法の規定による再生計画認可の決定

　(ハ)　会社法の規定による特別清算に係る協定の認可の決定

㈡　法令の規定による整理手続によらず，関係者の協議決定で次に掲げるもの
　　a．債権者集会の協議決定で合理的基準により債務者の負債整理を定めているもの
　　b．行政機関・金融機関等の第三者のあっせんにより当事者間の協議により締結された契約により債務者の負債整理を定めているもの
(2)　(1)以外で，債務者につき債務超過の状態が相当期間継続しその事業好転の見通しがないこと，災害，経済事情の急変等により多大の損害が生じたこと等により，その金銭債権の一部の金額につき取立の見込みがないと認められる場合における，取立見込みのない一部の金額
(3)　(1)，(2)以外で，次の事由が生じている場合には，その金銭債権の100分の50に相当する額
　㈠　会社更生法・金融機関の更生手続特例法の規定による更生手続開始の申立て
　㈡　民事再生法の規定による再生手続開始の申立
　㈢　破産法の規定による破産の申立て
　㈣　会社法の規定による特別清算開始の申立て
　㈤　手形交換所による取引停止処分があったこと（手形交換所のない地域における手形交換業務を行う銀行団も手形交換所に含める）
　　（注）外国政府等に対する金銭債権についても，定めがある。
　上記の事由により，個別評価により貸倒引当金に繰り入れるためには，これらの事由が生じていることを立証する書類等の関係書類を保存することが必要である（令96④）。

③　一括評価する金銭債権に対する貸倒引当金の繰入限度額

　一般売掛債権等（売掛金，貸付金等で個別評価対象金銭債権を除いたもの）に対しては，一括して評価する債権として，貸倒実績率により貸倒引当金の繰入限度額を計算する（法52②，令96⑥）。

$$\begin{pmatrix} 事業年度末一般売掛債権等 \\ の帳簿価額合計額 \end{pmatrix} \times 貸倒実績率 = 繰入限度額$$

$$\frac{\begin{pmatrix} その事業年度開始日前3年以内に開始し \\ た各年度の売掛債権等の貸倒損失の額 \end{pmatrix} + \begin{pmatrix} 個別評価分引当金 \\ （繰入額 - 戻入額） \end{pmatrix} \times \dfrac{12}{左の各年度の合計月数}}{\begin{pmatrix} その事業年度開始日前3年以内に開始した各年度の \\ 終了時における一般売掛金等の帳簿価額合計額 \end{pmatrix} \div 左の各年度の数}$$

$$= 貸倒実績率$$

④ 中小企業等の貸倒引当金の特例

中小企業については，租税特別措置法により，一括して評価する債権につき，法定繰入率による繰入れが認められている（措法57の9①）。対象となる中小企業は，資本金1億円超の普通法人および相互会社を除く法人である（措法57の9①，措令33の7④）。

中小企業の法定繰入率および算式は次のとおりである（措令33の9④）。

業種区分	法定繰入率
卸売・小売業	1,000分の10
製造業	1,000分の8
金融・保険業	1,000分の3
割賦販売小売業等	1,000分の13
その他の事業	1,000分の6

売掛金，貸付金等の帳簿価額合計×法定繰入率＝繰入限度額
（個別評価対象債権額を除く）

売掛金，貸付金等について，債務者から受け入れた金額（買掛金，借入金等）があるため実質的に債権とみられない部分の金額は，その帳簿価額から控除する（措法57の9①，措令33の7②）。

⑤ 貸倒引当金の洗替え

貸倒引当金に繰り入れた金額は，翌事業年度に洗い替えして，全額を益金に算入しなければならない（法52⑩）。

（例1） 南東商店は手形交換所において取引停止処分を受けた。当社（資本金5千万円）の南東商店に対する金銭債権は，売掛金1,000,000円，受取手形2,000,000円である。それら（個別評価する金銭債権）につき貸倒引当金の繰入限度額を示しなさい。

〈答〉

売　掛　金　　　　　　1,000,000円

受取手形　　　　　　　2,000,000 円
合　　計　　　　　　　3,000,000 円
3,000,000 円×50%＝1,500,000 円

(例2)　甲食品卸売株式会社（資本金5千万円）の第14期（年1回3月末決算）の末日における一般売掛債権（一括評価債権）は25,000,000円である。下記資料に基づき，貸倒引当金の繰入限度額を示しなさい。なお，この期間に個別評価分引当金はない。

	期末一般売掛債権等の帳簿価額	一般売掛債権等の貸倒損失
第11期	20,000,000 円	562,000 円
第12期	19,000,000 円	413,000 円
第13期	21,000,000 円	525,000 円

〈答〉

$$\frac{(562{,}000 \text{円} + 413{,}000 \text{円} + 525{,}000 \text{円}) \times \frac{12}{36}}{(20{,}000{,}000 \text{円} + 19{,}000{,}000 \text{円} + 21{,}000{,}000 \text{円}) \div 3} = \frac{500{,}000 \text{円}}{20{,}000{,}000 \text{円}}$$

＝0.025（実績による貸倒率）
期末貸金
25,000,000 円×0.025＝625,000 円（繰入限度額）

(例3)　乙衣料品株式会社（資本金3千万円）の第19期（年1回3月期末決算）の期末一般売掛債権（一括評価債権）は13,000,000円である。中小企業等の貸倒引当金の特例（法定繰入率1,000分の10）による繰入限度額および繰入限度額どおり繰り入れる仕訳を示しなさい。

期末貸金
13,000,000 円×0.010＝130,000 円（繰入限度額）
〈仕　訳〉
　（借）　貸倒引当金繰入額　　130,000　　（貸）　貸倒引当金　　　130,000

(例4)　当社（資本金1千万円）の貸倒引当金繰入限度額（個別評価債権分および一括評価債権分合計）は，第11期 800,000 円，第12期 1,000,000 円である。第11期および第12期において，繰入限度額まで貸倒引当金の繰入れを行いなさい。
〈答〉
〈仕　訳〉
第11期
　（借）　貸倒引当金繰入額　　800,000　　（貸）　貸倒引当金　　　800,000
第12期
　（借）　貸倒引当金　　　　　800,000　　（貸）　貸倒引当金戻入額　800,000
　（借）　貸倒引当金繰入額　1,000,000　　（貸）　貸倒引当金　　 1,000,000

(例5) 当社（資本金1千万円）は，当期において不良債権償却を行うため，貸倒引当金100万円を計上したが，税法上の貸倒引当金繰入限度額は60万円と計算された。損益計算書における貸倒引当金繰入額100万円を差し引いた後の当期純利益は58万円である。所得金額の計算を示しなさい。

〈答〉

　　損金経理額　　　繰入限度額
　　100万円　－　　60万円　＝40万円　（繰入限度額超過額）

繰入限度超過額40万円は損金不算入となるため，この部分を一般に有税償却と表現されている。

　　当期純利益　　　　　　58万円
　　（加算）
　　　貸倒引当金繰入
　　　限度超過額　　　　　40万円
　　所得金額　　　　　　　98万円

(注) 出版業および医薬品，農薬，化粧品，既製服等の製造業と卸売業のように返品が多い業種において，返品による損失につき，「返品調整引当金」が定められている（法53）。

第2節　海外投資等損失準備金

1　租税特別措置法における準備金

準備金は租税特別措置法によって定められたもので，政策的な一種の利益留保の性格を持つものである。準備金の積立ては，青色申告法人であることが要件とされる。引当金は期間損益の算定に必要であるため青色申告は要件とされないが，準備金はその積立てによる課税の延期の性格を持つため青色申告の特典として考えられている。準備金の損金算入は損金経理を必要とし，損金経理額のうち積立限度額の範囲内で損金に算入される。なお，剰余金の処分による準備金の積立ても認められており，本来の費用項目でない準備金積立額を損益計算書に含めることなく，申告調整で損金に算入することができる。

租税特別措置法に定める主要な準備金の例には，次のものがある。

海外投資等損失準備金，金属鉱業等鉱害防止準備金，特定災害防止準備金，原子力発電施設解体準備金，異常危険準備金，特別修繕準備金　等

《準備金の損金経理の方式》

　租税特別措置法に規定する準備金については，積立額と取りくずし額を総額で経理することが原則である。ただし，積立額と取りくずし額の差額を積立てまたは取りくずしている場合でも，確定申告書の明細書にその相殺前の総額に基づく積立てであることを明らかにしているときは，総額により積立てと取りくずしがあったものとされる（措通55〜57の8（共））。

> （注1）　本書における例示は，「総額繰入方式（洗替え方式）」により説明されているが，上記の通り，「差額繰入方式」も適用できることに留意されたい。
> （注2）　租税特別措置法上の準備金は，課税の繰延べにより無利子の資金調達を可能にする性格を持ち，企業財務にも大きな影響を与えてきた。しかし，最近では，準備金を廃止または積立限度額を減少させる傾向にある。

2　海外投資等損失準備金の積立てと取崩し

　準備金の代表例として，以下に海外投資等損失準備金を取り上げる。

①　積立限度額

　わが国の法人が海外の発展途上国に進出して事業を行う場合には，大きな危険を抱えている。海外投資を奨励し，危険に備えて十分な留保を保有するため，投資された株式等に対し海外投資等損失準備金が設けられている。すなわち，青色申告法人である内国法人が，指定期間（期限平成30年3月31日）内の日を含む事業年度において，特定法人の特定株式等を取得して引続き所有している場合，その特定株式等の価格の低落または貸倒れによる損失に備えるため，特定株式等の取得価額に一定割合を乗じて海外投資等損失準備金を積み立てたときは，その積立額は損金に算入される。積立ては損金経理または当該事業年度の決算確定日までに剰余金の処分により行われる必要がある（措55①）。その算式は，次のとおりである。

　　　　特定株式等の取得価額×一定の割合＝積立限度額

　海外投資等損失準備金について法人が行った損金経理額が積立限度額を超える場合には，その限度超過額は損金不算入となり，申告調整において加算される。

また，剰余金の処分で海外投資等損失準備金を積み立てた場合には，その積立額を減算して所得金額を計算するため，申告調整が必要である。

特定法人（事業法人と投資法人がある）と特定株式等および積立割合は，4項目につき定められている（措法55①）。

海外投資等損失準備金積立割合

特定法人	特定株式等	積立割合
(1) 資源開発事業法人	新増資資源株式等 または購入資源株式等	$\dfrac{30}{100}$
(2) 資源開発投資法人	新増資資源株式等	$\dfrac{30}{100}$
(3) 資源探鉱事業法人	新増資資源株式等 または購入資源株式等	$\dfrac{70}{100}$
(4) 資源探鉱投資法人	新増資資源株式等	$\dfrac{70}{100}$

各種の特定法人の意義については，租税特別措置法に定めがある（措法55②）。

② 準備金の益金算入

海外投資等損失準備金は積み立てた後5年間据え置かれ，その後の5年間で均等に益金に算入する。その算式は，次のとおりである（措法55③）。

$$\text{据置期間経過準備金額} \times \frac{\text{その事業年度の月数}}{60} = \text{益金算入額}$$

剰余金処分方式による場合には，戻入額を申告調整により加算して所得金額を計算することが必要である。

なお，特定法人が解散した場合等には準備金は益金に算入される（措法55④）。

剰余金処分方式による準備金の積立額および戻入額は，株主資本等変動計算書に示される。

(例1) 青色申告法人であるA社（内国法人，事業年度1年）は，資源開発事業法人であるB社の増資800万円を払い込んだ。損金経理により限度額どおりに海外投資等損失準備金を積み立てなさい。

〈答〉
 $8,000,000 \text{円} \times \dfrac{30}{100} = 2,400,000 \text{円}$ （積立限度額）

〈仕 訳〉
（借）海外投資等損失準備金積立額　2,400,000　（貸）海外投資等損失準備金　2,400,000

(例2) 上記海外投資等損失準備金を積み立てた後5年を経過した。6年目における益金算入額を示しなさい。

〈答〉

$2,400,000 円 \times \dfrac{12}{60} = 480,000 円$（益金算入額）

〈仕 訳〉

(借) 海外投資等損失準備金　480,000　　(貸) 海外投資等損失準備金戻入額　480,000

(注) 積立額は「海外投資等損失準備金積立損」，「海外投資等損失準備金繰入額」，戻入額は「海外投資等損失準備金戻入益」としてもよい。

(例3)
(1) 例1の積立ての仕訳を剰余金処分方式で示しなさい。
(2) 当期の確定した決算に基づく「当期純利益」は10,000,000円であり，海外投資等損失準備金以外の申告調整項目はない。この場合における所得金額を計算しなさい。

〈答〉
(1) 〈仕 訳〉

(借) 繰越利益剰余金　2,400,000　　(貸) 海外投資等損失準備金　2,400,000

(2) 〈申告調整〉

当期純利益	10,000,000 円
（減算）	
剰余金の処分による海外投資等損失準備金積立額	2,400,000
所得金額	7,600,000 円

(例4)
(1) 例2の6年目における戻入れの仕訳を剰余金処分方式で示しなさい。
(2) 6年目の年度における確定した決算に基づく「当期純利益」は10,000,000円であり，海外投資等損失準備金以外の申告調整項目はない。この場合における所得金額を計算しなさい。

〈答〉
(1) 〈仕 訳〉

(借) 海外投資等損失準備金　480,000　　(貸) 繰越利益剰余金　480,000

(2) 〈申告調整〉

当期純利益	10,000,000 円
（加算）	
剰余金の処分による海外投資等損失準備金取崩額	480,000
所得金額	10,480,000 円

第14章 圧縮記帳

　国庫補助金，収用の譲渡益等については，税法はこれらを益金であるとして課税の対象にする。しかし，これらに課税がなされると，資産の取得が困難になる。そこで，これらの益金算入額に相当する金額を，取得資産の取得価額より減額することによって損金に算入し，取得時の課税を将来に延期することができる。すなわち，圧縮記帳により取得時の課税を避け，将来の減価償却費や譲渡原価を低めることにより，将来に課税の回復が行われる。

　圧縮記帳の対象には，次のものがある。

　国庫補助金等，工事負担金，保険差益，交換差益，収用等に伴う代替資産の取得，特定資産の買替え（過密地域内事業用資産譲渡・過密地域内買替資産取得）

　以下に，国庫補助金等と収用等に伴う代替資産の取得における圧縮記帳を取り上げる。

第1節　国庫補助金等

1　圧縮記帳の処理

　内国法人が，固定資産の取得，改良のために，国または地方公共団体の補助金等（以下，国庫補助金等という）の交付を受け，交付事業年度において，その目的に適合した固定資産を取得，改良した場合に，国庫補助金等の範囲内でその帳簿価額を損金経理により減額したときは，その金額を損金に算入する。この場合における減価償却は，圧縮記帳後の帳簿価額に基づいて行う（法42）。

　（例1）　工場建物を取得するため，国庫補助金5,000,000円を受け取り，当座預金と

した．次いで，工場建物 8,000,000 円を取得し，代金は小切手を振り出して支払った．なお，国庫補助金は返還不要のものである．圧縮記帳の処理を示しなさい．

〈答〉
　　圧縮限度額　　取得に充てた国庫補助金等　5,000,000 円
　　圧縮後の帳簿価額　8,000,000 円 － 5,000,000 円 ＝ 3,000,000 円
〈仕　訳〉
　　（借）　当　座　預　金　5,000,000　　（貸）　国庫補助金等受入益　5,000,000
　　（借）　建　　　　物　8,000,000　　（貸）　当　座　預　金　8,000,000
　　（借）　建　物　圧　縮　損　5,000,000　　（貸）　建　　　　物　5,000,000
　　（注）　国庫補助金等で期末返還不要が未確定なものについては，特別勘定による処理が定められている（法 43，44）．

2　圧縮記帳の経理方法

圧縮記帳の方法としては，次の 3 つがある（令 80）．

(1)　損金経理により固定資産の帳簿価額を直接減額する方法

これは，（例 1）で示された方法である．

(2)　損金経理により引当金勘定に繰り入れる方法

(3)　剰余金の処分により積立金として積み立てる方法

剰余金の処分により圧縮記帳積立金を積み立てた場合には，申告調整により減算して，損金に算入する．

（例 2）　建物の取得（取得価額 6,000,000 円）につき受け入れた国庫補助金 5,000,000 円を，引当金勘定を用いて圧縮記帳した．
　　〈仕　訳〉
　　　（借）　建物圧縮損　　5,000,000　　（貸）　建物圧縮記帳引当金　5,000,000
（例 3）　土地の取得 10,000,000 円につき受け入れた国庫補助金 7,000,000 円を，剰余金の処分により圧縮記帳した．
　　〈仕　訳〉
　　　（借）　繰越利益剰余金　7,000,000　　（貸）　土地圧縮記帳積立金　7,000,000

この場合は，申告調整において圧縮損 7,000,000 円を減算して，損金に算入する．

《税務計画メモ》
国庫補助金等は税法上益金とされる．したがって，国庫補助金等を受け入れて

固定資産を取得したときは圧縮記帳により損金に算入し，課税の繰延べをはかることが重要である。

第2節　収用等の場合の圧縮記帳

土地収用法等の規定により，資産が収用，買取り，換地処分，権利変更，買収，買入れ，または消滅（以下収用等という）される等，強制的に資産が譲渡されることがある。このような場合には譲渡益が生ずるが，収用等に伴って取得する代替資産につき圧縮記帳を認め，圧縮損を損金に算入することができる。

　(注)　収用等の場合の圧縮記帳に代え，年5千万円までの所得の特別控除を選択することができる。

1　収用等に伴い代替資産を取得した場合の圧縮記帳の処理

法人が公共事業の施行に伴って，土地，建物等の資産につき収用されて補償金を取得し，または買取りを拒めば収用されることとなる場合に買い取られて対価を取得することがある。このような場合に，その補償金や対価をもって，同一事業年度中に譲渡資産と同種の資産を取得したときは，その代替資産につき圧縮記帳をすることができ，その圧縮額を損金経理により損金算入することができる（措法64①）。圧縮記帳限度額の計算は，次のとおりである。

$$\frac{(対価補償金の額 - 譲渡経費の額) - 譲渡資産の帳簿価額}{対価補償金の額 - 譲渡経費の額} = 差益割合$$

代替資産の取得価額 × 差益割合 ＝ 圧縮限度額

　(注)　代替資産の取得価額が，その対価補償金の額を超える場合には，その超える金額を控除した金額とされる。

(例1)　次の土地の収用等の場合における圧縮限度額を示し，圧縮限度額と同額を損金に経理しなさい。なお，収支はすべて現金とする。

譲渡資産の帳簿価額	8,000,000円
対価補償金	20,500,000円
譲渡経費	500,000円
代替資産の取得価額	20,000,000円

〈答〉

$$\frac{(20{,}500{,}000 \text{円} - 500{,}000 \text{円}) - 8{,}000{,}000 \text{円}}{20{,}500{,}000 \text{円} - 500{,}000 \text{円}} = 0.6 \quad 差益割合$$

20,000,000 円 × 0.6 = 12,000,000 円　圧縮限度額
20,000,000 円 − 12,000,000 円 = 8,000,000 円　圧縮後の帳簿価額

〈仕　訳〉

（借）現　　　　金　20,000,000　　（貸）土　　　　地　 8,000,000
　　　　　　　　　　　　　　　　　　（貸）譲 渡 差 益　12,000,000

（注）　現金受取額は，対価補償金 20,500,000 円より譲渡経費 500,000 円を差し引いた金額である。

（借）土　　　　地　20,000,000　　（貸）現　　　　金　20,000,000
（借）土地圧縮損　　12,000,000　　（貸）土　　　　地　12,000,000

例1において，圧縮記帳の結果，譲渡差益 12,000,000 円は土地圧縮損 12,000,000 円と相殺され，課税は行われない。代替資産の土地の帳簿価額は 8,000,000 円（20,000,000 円 − 12,000,000 円）となり，譲渡資産の帳簿価額が引き継がれる。

2　圧縮記帳の経理方法

圧縮記帳の経理には，国庫補助金等におけると同じ，3つの方法がある（措法64①）。

（注）　収用等により対価補償金等を受けた同一事業年度に代替資産を取得せず，2年以内に代替資産を取得する見込みであるときは，特別勘定を設ける特例がある。

《税務計画メモ》

(1)　収用等に伴う補償金や対価を受け取った場合，それらの金額は益金に算入される。この場合に，これらの補償金や対価によって譲渡資産と同種の資産を取得すれば，代替資産につき圧縮記帳により損金算入が認められ，課税が延期される点が重要である。

(2)　収用等の場合，年5千万円までの所得の特別控除か上記の圧縮記帳かいずれか有利な方を選択することに留意する。

第15章
欠損金等

1 欠損金の繰越し

　各事業年度の損金の額がその事業年度の益金の額を超える場合には，その超える金額は欠損金額となる（法29）。各事業年度の所得に対して課せられる法人税は，原則として，その事業年度の所得金額を対象とするため，他の事業年度の欠損金（loss）は所得計算において考慮に入れない。ただし，青色申告年度に生じた欠損金については，欠損金の9年間の繰越し（carryover）と1年間の繰戻し〈中小企業者等を除き適用中止〉（carryback）が認められる。

(1) 青色申告年度の欠損金の繰越し

　確定申告提出法人の各事業年度開始の日前9年以内に開始した事業年度において生じた欠損金額がある場合には，その欠損金額を，各事業年度の所得金額の計算上損金に算入する。ただし，中小企業者等を除き，当該事業年度の所得金額の欠損金控除限度割合を超える額は，繰越控除の対象にならない。この場合には，法人が欠損事業年度に青色申告書である確定申告書を提出し，かつ，その後において連続して確定申告書を提出している場合であって欠損金額発生年度の帳簿書類を保存していることが必要である（法57①）。

　所得金額の欠損金控除限度割合は次のとおりである（平成27年改正法附則27②）。

　　平成27年4月1日～28年3月31日開始事業年度　　65%
　　平成28年4月1日～29年3月31日開始事業年度　　60%
　　平成29年4月1日～30年3月31日開始事業年度　　55%
　　平成30年4月1日～　　　　　　開始事業年度　　50%

　中小企業者等には，普通法人のうち資本金の額もしくは出資金の額が1億円以下であるもの（資本金5億円以上法人の完全支配関係法人を除く），公益法人等

または協同組合等，人格のない社団等が含まれ，上記の所得金額の欠損金控除限度割合の制限は適用されない（法57⑪）。

(2) 青色申告書を提出しなかった事業年度の災害損失金の繰越し

　確定申告提出法人の各事業年度開始の日前9年以内に開始した事業年度（青色申告書を提出せず）において生じた欠損金のうち，棚卸資産，固定資産，繰延資産について震災，風水害，火災等により生じた損失による欠損金がある場合は，その災害損失金を各事業年度の所得金額の計算上，損金の額に算入する。ただし，中小企業者等を除き，当該事業年度の所得金額の欠損金控除限度割合を超える額は，繰越控除の対象にならない。繰越しには，法人が災害損失発生年度において，その損失額の計算に関する明細を記載した確定申告書を提出し，かつ，その後において連続して確定申告書を提出している場合であって，災害損失発生年度の帳簿書類を保存していることが必要である（法58）。

　欠損金繰越期間9年は，平成30年4月1日以後開始事業年度において生じた欠損金額につき，10年に延長された（平成27年改正法附則1ハの二，27①）。

2　欠損金の繰戻し

　法人が青色申告書である確定申告書を提出する事業年度に欠損金額が生じた場合（欠損事業年度），欠損事業年度開始の日前1年以内に開始したいずれかの事業年度（還付所得事業年度）の法人税額について，還付を受けることができる。還付金額の算式は次のとおりである（法80①）。

$$還付所得事業年度の法人税額 \times \frac{欠損事業年度の欠損金繰戻額}{還付所得事業年度の所得金額} = 還付金額$$

　欠損金の繰戻しによる還付を受けるためには，次の要件が必要とされる（法81③，⑤）。

(1) 還付所得事業年度から欠損事業年度まで連続して青色申告書を提出していること。
(2) 欠損事業年度の青色確定申告書を申告期限内に提出していること。
(3) 所定の事項を記載した還付請求書を提出すること。

　中小企業者等（資本金1億円以下等）以外の法人の欠損金繰戻しによる還付は，平成4年4月1日から平成30年3月31日終了年度につき適用が中止される（措

法66の13)。中小企業者等については，欠損金繰戻しの規定が適用される。

> (注) 資本金の額が5億円以上の法人による完全支配関係にある中小法人については，欠損金の繰戻しは適用されない。平成22年度税法改正。

(例1) A株式会社（資本金5億円）の当期所得金額（欠損金控除前）は4,000,000円である。同社の事業年度は1年であり，前期（青色申告年度）に発生した繰越欠損金が3,600,000円ある。当期における欠損金控除限度割合は60％である。当期の課税対象となる所得金額を示しなさい。

　　当期所得金額　　　　　　　　　　　　4,000,000円
　　（減算）
　　前9年以内の繰越欠損金当期控除額
　　　　　　　　　　4,000,000円×0.60＝2,400,000円
　　所 得 金 額　　　　　　　　　　　　1,600,000円
　　翌期繰越欠損金　3,600,000円－2,400,000円＝1,200,000円

(例2) 〈中小企業者等〉

B株式会社（資本金5千万円）の当期所得金額（欠損金控除前）は4,000,000円である。同社の事業年度は1年であり，前期（青色申告年度）に発生した繰越欠損金が3,600,000円ある。当期の課税対象となる所得金額を示しなさい。

　　当期所得金額　　　　　　　　　　　　4,000,000円
　　（減算）
　　前9年以内の繰越欠損金当期控除額　　3,600,000円
　　所 得 金 額　　　　　　　　　　　　　 400,000円
　　翌期繰越欠損金　　　　　　　　　　　　　　0円

(例3) C株式会社（中小企業者等）の事業年度は1年であり，連続して青色申告法人である。下記の資料に基づき，欠損金の繰戻しによる法人税の還付額を示しなさい。

　　当期欠損金額　　　1,000,000円
　　前期所得金額　　　3,600,000円　　前期法人税額　　540,000円

〈答〉

$$540,000 円 \times \frac{1,000,000 円}{3,600,000 円} = 150,000 円 \quad 法人税の還付金額$$

第Ⅲ部

税額計算と申告手続

第Ⅲ部のねらい

課税所得・税額の計算と申告手続等（第16章，17章）

　益金・損金論の後，申告調整による所得金額の計算構造を取り上げるとともに，法人税額を算定する方式を解説する。地方税である法人住民税と事業税等の計算方法についても説明を行っている。さらに，法人税の申告・納付等に関する手続および利益積立金の計算も重要であり，その概要を紹介している。

第16章
税額の計算

第1節　各事業年度の所得に対する法人税額

　「各事業年度の所得に対する法人税額」は，その課税標準である所得金額に所定の税率（tax rate）を適用して算出する。なお，特定同族会社が一定額以上の社内留保を行った場合には，留保金課税として特別税率を適用した税額が加算される。

　なお，所得金額に1,000円未満の端数があるときは，これを切り捨てる。税額に100円未満の端数があるときは，これを切り捨てる（通法118，119，基通16-1-8）。

　内国法人の各事業年度の所得に対する法人税の税率は，次のとおりである（法66，平成28年改正法附則26，措法42の3の2，68の8）。

〈平成28年4月1日から平成30年3月31日までの間に開始する事業年度〉
　(1)　期末資本金が1億円を超える普通法人　　　　　　　　　　　　　23.4％
　(2)　期末資本金が1億円以下の普通法人
　　　　所得金額のうち年800万円以下の金額　　　　　　　　　　　　 15％
　　　　所得金額のうち年800万円を超える金額　　　　　　　　　　　 23.4％
　(3)　公益法人等，協同組合等
　　　　所得金額のうち年800万円以下の金額　　　　　　　　　　　　 15％
　　　　所得金額のうち年800万円を超える金額　　　　　　　　　　　 19％
　(4)　組合員数50万人以上・店舗売上高1,000億円以上の特定協同組合等（大規模生協）
　　　　所得金額のうち年800万円以下の金額　　　　　　　　　　　　 15％
　　　　所得金額のうち年800万円を超え10億円以下の金額　　　　　　 19％
　　　　所得金額のうち年10億円を超える金額　　　　　　　　　　　　22％
　　（注1）　(1)(2)に示した基本税率23.4％は，平成30年4月1日以後開始事業年度では

23.2%となる。

(注2) 上記以外に，一般社団法人等，人格のない社団等につき定めがある。

(注3) 事業年度の期間が1年未満のものについては，「年800万円」「年10億円」の金額は，「800万円または10億円×$\dfrac{\text{その事業年度の月数}}{12}$」として計算する。この場合，1カ月未満の端数は切り上げて1カ月とする（法66④，⑤）。

法人税率は，基本的に比例税率である。中小企業については，負担軽減のため，段階税率（年800万円以下とそれを超える金額とに分ける）となっている。

(注) 資本金の額が5億円以上の法人により完全支配関係にある中小法人については，軽減税率は適用されない（平成22年度税制改正）。

(例1) 次の資料により，清水株式会社の当期所得金額に対する法人税額を計算しなさい。同社の期末資本金は2,000万円である。

損 益 計 算 書
自平成×年4月1日　　至平成×年3月31日（単位：円）

売上原価	47,600,000	売　　上	79,700,000
営業費	8,800,000	還付金	300,000
寄附金	500,000		
交際費	9,800,000		
減価償却費	6,200,000		
租税公課	300,000		
法人税等	2,800,000		
当期純利益	4,000,000		
	80,000,000		80,000,000

1 下記の科目について，損金不算入の金額は次のとおりである。
　　寄附金　　　150,000円
　　交際費　　1,800,000
　　減価償却費　2,120,000
　　租税公課　　　80,000
2 法人税等の内訳は次のとおりである。
　　法人税および地方法人税　　1,790,000円
　　県民税および市民税　　　　　310,000円
　　事業税等*（納付額）　　　　　700,000円
3 還付金の内訳は次のとおりである。
　　法人税および地方法人税　　　210,000円
　　県民税および市民税　　　　　 40,000円
　　事業税等*　　　　　　　　　　50,000円
　　　＊事業税等（事業税および地方法人特別税）

〈答〉

法人税および地方法人税，県民税および市民税は損金不算入となる。

法人税および地方法人税還付金，県民税および市民税還付金は益金不算入となる。

課税標準
```
         当 期 純 利 益                          4,000,000 円
     （加　算）
     損金不算入　寄　附　金                        150,000
        〃      交　際　費                      1,800,000
        〃      減価償却費                      2,120,000
        〃      租 税 公 課                        80,000
        〃      法人税および地方法人税          1,790,000
        〃      県民税および市民税                310,000
                                              6,250,000
     （減　算）
     益金不算入　法人税および地方法人税還付金    210,000
        〃      県民税および市民税還付金          40,000
         所 得 金 額                         10,000,000 円
```

《所得金額に対する法人税額》

期末資本金が1億円以下（資本金 2,000 万円）の普通法人であるため，所得金額を年 800 万円以下の金額（税率 15%）と年 800 万円を超える金額（税率 23.4%）に区分して，税額を計算する。

```
     年 800 万円以下の金額    8,000,000 円×15% ＝ 1,200,000 円
     年 800 万円を超える金額  2,000,000 円×23.4% ＝ 468,000 円
                            10,000,000 円          1,668,000 円
```

（例2）　所得金額1千万円，期末資本金が2億2千万円である場合の法人税額を示しなさい。

〈答〉

期末資本金が1億円を超える普通法人であるため，所得金額に 23.4% の税率が適用される。

10,000,000 円×23.4% ＝ 2,340,000 円

第2節　特定同族会社の留保金課税

1人の株主および同族関係者が議決権の 50% 超を有する場合，その被支配会社は特定同族会社（資本金の額が1億円以下のものを除く）とされる。特定同族会社の留保金額が一定額（留保控除額）を超える場合には，各事業年度の所得に対

する課税とは別に，特別税率による留保金課税が行われる。これは，過大留保による同族株主の個人所得税の課税延期部分の利息相当分として留保金課税が行われる。ただし，判定の基礎となる株主が被支配会社でない非同族会社である場合における，非同族会社の子会社は留保金課税から除外される（法67①②）。

① 特定同族会社の特別税率

同族会社の留保金額に対する特別税率は，次のとおりである（法67①）。

課税留保金額のうち

  年3,000万円以下の金額……………………………10%

  年3,000万円を超え年1億円以下の金額……15%

  年1億円を超える金額……………………………20%

  （注）「年3,000万円」または「年1億円」の金額は，事業年度が1年未満の場合には，それぞれの金額に「$\dfrac{当期の月数}{12}$」を乗じて月数按分する。この場合，1カ月未満の端数は切り上げる。

② 課税留保金額の計算

課税対象となる留保金額は，次により計算される。

  留保所得金額 − その事業年度の所得に対する法人税額，地方法人税額，道府県民税額および市町村民税額（都民税額を含む） = 当期留保金額

留保所得金額は，申告書の「別表四　所得の金額の計算に関する明細書」の留保欄において計算される。

  当期留保金額 − 留保控除額 = 課税留保金額

留保控除額は，次の金額のうち最も多い金額である（法67⑤）。

(1) その事業年度の所得等の金額×40%（所得基準）

(2) 年2,000万円（定額基準）

(3) 期末資本金額×25% − 期末利益積立金額（積立金基準）

  （注）事業年度が1年未満の場合，年2,000万円の金額は，「2,000万円×$\dfrac{当期の月数}{12}$」の算式により月数按分される。この場合，1カ月未満の端数は切り上げる。

（例1）当期（事業年度1年）の課税留保金額が1億1千万円の場合における，留保金額に対する税額は次のとおりである。

	課税留保金額	税率	税額
年3,000万円以下の金額	30,000,000円	10%	3,000,000円

年3,000万円を超え1億円以下の金額	70,000,000 円	15%	10,500,000 円
年1億円を超える場合	10,000,000 円	20%	2,000,000 円
合　　　計	110,000,000 円		15,500,000 円

第3節　使途秘匿金がある場合の課税の特例

　使途秘匿金を支出したときは，通常の法人税に加えて，その使途秘匿金支出額に対して40％の追加課税がなされる。使途秘匿金の支出とは，法人の金額の支出のうち，相当の理由がなく，その相手方の氏名，住所およびその事由を，帳簿に記載していないものをいう（措法62）。

　これは，使途不明金が不正資金の温床になっているとの強い社会的批判に対応して，税制面から使途不明金を抑制するために創設されたものである。

第4節　税　額　控　除

　法人税額は，所得金額に税率を適用して税額を算出し，さらに，それから税額控除（tax credit）の額を差し引いて計算する。主要な税額控除は次のとおりである。

1　所得税額控除

　内国法人が，株式に対する配当，預金および公社債の利子を受け入れたときには，一定の所得税が源泉徴収される。これは，その法人の支払うべき法人税の前払いに相当するので，法人税額よりその所得税額を控除する（法68）。これを所得税額控除（credit for income tax）という。

　この場合において，株式に対する配当等や公社債の利子に対する所得税については，その元本の所有期間に対応する金額が控除される。これを算式で示すと，次のとおりである（令140の2）。

　　　所得税額×元本所有期間割合＝所得税額控除

$$\frac{元本所有期間}{利子配当等の計算期間の月数} = 元本所有期間割合$$

　　（注）　1カ月に満たない端数は1カ月とする。

上記以外の所得税額（預金利息に対するもの等）は，その全額が控除される。

（例1）　当社（資本金1億1千万円）の当期の所得金額は1,000,000円である。なお，預金利息に対する所得税の納付額が20,000円ある。法人税率23.4％として，差引法人税額を計算しなさい。

〈答〉

　　（所得金額）　　　　　　（法人税額）
　　1,000,000円×23.4％＝234,000円

　　（法人税額）　　（所得税額控除）　（差引法人税額）
　　234,000円　－　20,000円　＝　214,000円

2　外国税額控除

　内国法人が，各事業年度において，国外における所得につき外国法人税を納付することになる場合には，わが国の法人税と国際的な二重課税が行われることになる。そこで，法人税のうち所得の源泉が国外にあるものに対応する金額について，外国税額控除（credit for foreign tax）を行うのである（法69①）。

　外国税額の控除限度額は，原則として，次により計算される（令142①）。

$$当期法人税額 \times \frac{当期国外所得金額}{当期所得金額} = 外国税額控除限度額$$

　　（注）　当期所得金額は，国内および国外の所得金額であり，全世界所得金額の意味を持つものである。

　外国税額控除の対象となる外国法人税額は，内国法人が，外国の法令に基づき，外国およびその地方公共団体によって法人の所得を課税標準として課される税額である（令141①）。

　外国税額控除は法人税だけでなく，地方税である住民税に対しても適用される（地法53⑧，321の8⑧）。その計算は，(1)法人税，(2)都道府県民税，(3)市町村民税の順序により行われる。控除限度超過額（外国法人税額のうち控除限度額を超える金額）は控除余裕額（控除限度額のうち外国法人税額を超える金額）の範囲内で3年間の繰越控除ができる。控除余裕額についても3年間の繰越使用ができる（令144,145）。

(例2) 甲法人の当期所得金額は 10,000,000 円であり，それに対する法人税額は 2,340,000 円である。当期所得金額のうち国外所得金額は 2,000,000 円であり，納付外国法人税額は 508,000 円である。法人税の外国税額控除を示しなさい。
〈答〉

$$\underset{\text{(当期法人税額)}}{2,340,000 \text{円}} \times \frac{\overset{\text{(当期国外所得金額)}}{2,000,000 \text{円}}}{\underset{\text{(当期所得金額)}}{10,000,000 \text{円}}} = \underset{\text{(法人税の外国税額控除限度額)}}{468,000 \text{円}}$$

当期においては，納付外国法人税額 508,000 円のうち，法人税の外国税額控除として 468,000 円が控除される。その残額 40,000 円から，地方税の住民税における外国税額控除が差し引かれる。

3 試験研究を行った場合の法人税額の特別控除

本制度は，企業の試験研究を促進するための奨励策として設けられたものであり，次のものがある。
① 試験研究費の総額に係る税額控除（措法 42 の 4 ①）
② 中小企業技術基盤強化税制（措法 42 の 4 ②）
③ 特別試験研究に係る税額控除制度（措法 42 の 4 ③）
④ 増加試験研究費の税額控除制度（措法 42 の 4 ④）
上記のうち「試験研究費の総額に係る税額控除」を，以下に取り上げる。
《試験研究費の総額に係る税額控除》
この内容は，企業の試験研究を促進するため，売上高に占める試験研究費比率が高いほど税額控除が多くなる仕組みになっている。

青色申告書提出法人は，各事業年度において，試験研究費額に税額控除割合を乗じた額を，法人税額の特別控除額とすることができる（措法 42 の 4 ①）。その算式は，次のとおりである。

　　適用事業年度試験研究費額　×　税額控除割合 ＝　法人税額の特別控除額

税額控除割合は，試験研究費割合に基づいて算定される。
試験研究費割合は，平均売上高に対する試験研究費額の割合である。

$$\text{試験研究費割合} = \frac{\text{適用事業年度試験研究費額}}{\text{平均売上高}}$$

　　　　　　（平均売上高は適用年度および前 3 年度の平均売上高である。）

税額控除割合は次のとおり算定される。

試験研究費割合	税額控除割合
0.1 以上	0.1
0.1 未満	試験研究費割合×0.2＋8/100

　この特別控除税額は，適用事業年度の法人税額の25%を限度とされる（措法42の4①）。

（例3）　次の資料により，青色申告法人A社の試験研究費総額に係る法人税額の特別控除額（法人税額の25%限度適用年度）を計算しなさい。
　　　　試験研究費総額　　　　　　50,000,000円
　　　　試験研究費割合　　　　　　11%
　　　　所得金額に対する法人税額　35,000,000円
〈答〉
　　税額控除割合　　試験研究費割合11%の場合　　10%
　(イ)　試験研究費総額 50,000,000円×10%＝5,000,000円
　(ロ)　法人税額 35,000,000円×25%＝8,750,000円
　(ハ)　(イ)(ロ)のいずれか少ない金額　(イ)　5,000,000円
　　　（注）　上記のほか税額控除の例には，次のものがある。
　　　　　　・エネルギー環境負荷低減推進設備等を取得した場合の法人税額の特別控除
　　　　　　・雇用者の数が増加した場合の法人税額の特別控除
　　　　　　・雇用者給与等支給額が増加した場合の法人税額の特別控除

第5節　地方法人税

　地方法人課税の偏在性を是正するため，平成26年10月1日以後開始事業年度から，法人住民税法人税割の税率の引下げにあわせて，地方法人税（国税）が創設された。その算式は次のとおりである（地方法人税法10）。
　基準法人税額×4.4%
　　（注1）　法人税と地方法人税が同一の申告書で行えるように，法人税申告書別表一（一）等の様式が改正された。
　　（注2）平成31年10月1日以後開始事業年度から，税率は10.3%に引き上げられる（財務省：消費税率引き上げ時期の変更に伴う税制上の措置）。

第6節　地方税等の税額計算

　法人は，その所得金額に対して，国税である法人税を支払うだけでなく，地方税である市町村民税，道府県民税（都民税を含む）および事業税等（事業税および地方法人特別税〈国税〉）を納付しなければならない。地方税の税率は各地方公共団体の条例によって定められるが，その基礎となる税率は地方税法に定められている。なお，地方税の課税標準額に千円未満の端数があるとき，または，確定税額に百円未満の端数があるときは，これらの端数を切り捨てる（地法20の4の2）。

1　法人住民税の税率

　法人住民税は，法人税額に一定税率を乗じた「法人税割」と，所得の有無にかかわらず一律に課せられる「均等割」よりなる。なお，制限税率とは，地方公共団体が税率を定めるにあたって，それを超えることができない税率をいう。

　法人住民税の税率は，次のとおりである（地法51, 52, 312, 314の4）。

法人税割	標準税率	制限税率
道府県民税	3.2％	4.2％
市町村民税	9.7％	12.1％

均等割（道府県民税）

資本金等の額	標準税率
50億円超	年　80万円
50億円以下10億円超	〃　54万円
10億円以下1億円超	〃　13万円
1億円以下1千万円超	〃　　5万円
1千万円以下	〃　　2万円

均等割（市町村民税）

資本金等の額	従業者数	標準税率	制限税率
50億円超	50人超	年300万円	標準税率の1.2倍
50億円以下10億円超	50人超	〃175万円	
10億円超	50人以下	〃　41万円	
10億円以下1億円超	50人超	〃　40万円	
10億円以下1億円超	50人以下	〃　16万円	

1億円以下1千万円超	50人超	〃 15万円
1億円以下1千万円超	50人以下	〃 13万円
1千万円以下	50人超	〃 12万円
1千万円以下	50人以下	〃 5万円

（注1）都民税の税率は，原則的に道府県民税と市町村民税の合計に等しい。その法人税割の税率は，標準税率12.9％，制限税率16.3％である。また，均等割は，都の特別区の区域内において，道府県民税と市町村民税の均等割合計（たとえば，資本金等の額50億円超で従業員50人超の場合の標準税率は380万円）に等しい（地法734③）。

（注2）法人税割は，平成31年10月1日以後開始事業年度から下記のとおり改正される（財務省：消費税率引き上げ時期の変更に伴う税制上の措置）。

	標準税率	制限税率
道府県民税	1.0％	2.0％
市町村民税	6.0％	8.4％

2　法人事業税および地方法人特別税の税率―資本金1億円以下の法人

　法人事業税は，道府県（都を含む）税として課せられるものであり，その税額は所得金額に税率を乗じて計算する（地法72の24の7①）。

　平成20年度に，法人事業税の一部を分離し，地方法人特別税が創設された（地方法人特別税等に関する暫定措置法2，9．）。法人事業税および地方法人特別税の税率は，次のとおりである。

資本金額1億円以下の法人
《法人事業税》　　　　　　　　　　　　　標準税率　　制限税率
　所得のうち年400万円以下の金額　　　　　3.4％　　　標準税率
　　〃　　年400万円超800万円以下の金額　　5.1％　　　の1.2倍
　　〃　　年800万円超の金額　　　　　　　　6.7％
　地方法人特別税　基準法人所得割額×43.2％

（例1）非同族会社であるA株式会社の当期（事業年度1年）の所得金額は4,000万円である。期末資本金（資本金以外に資本金等の額はない。）は9,000万円，従業者数は110人である。同社の国税および地方税（標準税率による。）の税額（百円未満切捨）を示しなさい。
〈答〉
　（法人税）
　　年800万円以下の金額　　8,000,000円×15％＝　1,200,000円
　　年800万円超の金額　　　32,000,000円×23.4％＝7,488,000円

```
                          40,000,000 円        8,688,000 円―①
  （地方法人税）
                  法人税額
                  8,688,000 円×4.4%＝  382,200 円―②
  （道府県民税）
      均等割                          50,000 円
                  法人税額
      法人税割    8,688,000 円×3.2%＝  278,000 円
                                      328,000 円―③
  （市町村民税）
      均等割                          150,000 円
                  法人税額
      法人税割    8,688,000 円×9.7%＝  842,700 円
                                      992,700 円―④
  （事業税）
      年 400 万円以下の金額           4,000,000 円×3.4%＝  136,000 円
      年 400 万円超 800 万円以下の金額  4,000,000 円×5.1%＝  204,000 円
      年 800 万円超の金額            32,000,000 円×6.7%＝2,144,000 円
                                     40,000,000 円      2,484,000 円―⑤
  （地方法人特別税）
      事業税基準法人所得割（千円未満切捨）
                  2,484,000 円×43.2%＝ 1,073,000 円―⑥
  税額合計①＋②＋③＋④＋⑤＋⑥    13,947,900 円
```

3　法人事業税の外形標準課税―資本金 1 億円超の法人

　資本金 1 億円超の法人に対しては，所得課税に加えて，外形標準課税が適用される。

　㈠　対 象 法 人

　付加価値割および資本割による外形標準課税の対象となる法人は，資本金の額または出資金の額が 1 億円を超える法人（公益法人等，特別法人，人格のない社団等および投資法人を除く。）とする（地法 72 の 2 ①）。

　㈡　課税標準および算定方法

　対象法人に対し，付加価値割，資本割および所得割の合算額によって，法人事業税が課せられる（地法 72 の 12）。

　付加価値割，資本割および所得割の課税標準は，次のとおりとする。

イ 付加価値割　各事業年度の付加価値額
ロ 資本割　　　各事業年度の資本金等の額
ハ 所得割　　　各事業年度の所得
　（注）　課税標準の算定方法につき定めがある。

(三)　税　　率

　事業税の付加価値割，資本割，所得割に係る標準税率および地方法人特別税の税率は，次のとおりである（地法72の24の7①，地方法人特別税等に関する暫定措置法2, 9）。

《事業税》

課税標準	付加価値割	資本割	所得割	
標準税率	1.2%	0.5%	所得のうち年400万円以下の金額	0.3%
			所得のうち年400万円を超え，年800万円以下の金額	0.5%
			所得のうち年800万円を超える金額	0.7%

《地方法人特別税》

　事業税基準法人所得割×414.2%

　　（注）　地方法人特別税の廃止及びそれに伴う法人事業税の復元は，平成31年10月1日以後に開始する事業年度から適用される（財務省：消費税率引き上げ時期の変更に伴う税制上の措置）。

第17章

申告および更正等・資本金等の額および利益積立金

第1節　申告・納付・更正・決定等

1　中間申告

①　前期実績基準による中間申告

　普通法人は，その事業年度が6カ月を超える場合には，その事業年度開始以後6カ月を経過した日から2カ月以内に中間申告書を提出し，税額を納付しなければならない。中間申告書に記載する税額の計算は，次のとおりである（法71，76）。

　　（注）　前期実績による中間納付費が10万円以下の場合は，中間申告書の提出を必要としない。

$$\text{前事業年度確定申告に係る法人税額} \times \frac{6}{\text{前事業年度の月数}} = \text{中間申告納付額}$$

（例1）　A株式会社は1年を事業年度（12月31日決算期）としている。前期確定申告に係る法人税額は840,000円である。当期の中間申告納付額は，次のとおりである。

$$840,000 \text{円} \times \frac{6}{12} = 420,000 \text{円} \qquad \text{申告期限および納期限8月31日}$$

②　仮決算をした場合の中間申告

　普通法人は，前期実績基準による中間申告に代えて，その事業年度の開始日以

後6カ月の期間を1事業年度とみなして，その期間に係る課税標準である所得金額または欠損金額を計算し，それに対する法人税額を算出して中間申告を行うことができる（法72①）。

《税務計画メモ》

当期所得金額が前期より大幅に減少したり，あるいは欠損金が出る見込のときは，仮決算をした中間申告により，中間納付額を減らすことができる。

2　確定申告

①　期限と税額

法人は，各事業年度終了日の翌日から2カ月以内に，税務署長に対し，確定した決算に基づき，各事業年度の所得に対する法人税の確定申告書を提出しなければならない。確定申告書には，その年度の貸借対照表，損益計算書，株主資本等変動計算書，勘定科目内訳明細書等を添付しなければならない（法74，規35）。確定申告による法人税の納期限は，確定申告書の提出期限と同じである（法77）。

確定申告により納付すべき法人税額は，確定申告における所得に対する法人税額から，中間申告の法人税額を控除したものである。

（例2）　青色申告法人であるA株式会社は，資本金1億5千万円の非同族会社である。事業年度は1年であり，毎年3月末日をもって決算期としている。当期所得金額は80,000,000円（適用税率23.4%），試験研究を行った場合の法人税額の特別控除が700,000円，所得税額控除が300,000円，中間納付税額が10,600,000円である。確定申告による法人税納付税額は，次のとおりである。

確定申告における所得金額に対する法人税額	80,000,000円×23.4% ＝ 18,720,000円
試験研究を行った場合の税額控除	－）700,000円
所得税額控除	－）300,000円
差引所得に対する法人税額	17,720,000円
中間申告分の法人税額	－）10,600,000円
差引確定法人税額（確定申告による納付税額）	7,120,000円

なお，A株式会社の確定申告書の提出期限および法人税の納期限は，5月31日である。

なお，地方法人税，地方税である事業税，道府県民税および市町村民税についても，法人税に準じて，中間申告や確定申告が行われる。

② 申告期限の延長
確定申告書の申告期限の延長には，次のものがある。
(1) 国税通則法による申告期限の延長——災害等やむを得ない理由によって申告，納付等が期限までに行うことができない場合（通法11）
(2) 法人税法による申告期限の延長
　(イ) 災害等によって決算が確定しない場合の期限延長（法75①）
　(ロ) 会計監査等の関係で決算が確定しない場合の期限延長〈原則1ヵ月〉（法75の2①）

《利子税の納付》
法人税法により申告期限を延長した場合には，納期限の延長につき利子税が課せられる（法75⑦，75の2⑥）。

3　還　付

① 所得税額等の還付
確定申告書の提出があった場合において，各事業年度の確定申告における法人税額から控除されるべき所得税額または外国法人税額で，その法人税額から控除しきれなかった金額は，控除不足額として，確定申告書に記載することにより還付される。この還付（refund）については，その確定申告書の提出期限の翌日から還付の支払決定日までの期間に応じて，年7.3％の割合（「公定歩合＋4％」が7.3％未満のときは，その特例割合）で計算した還付加算金が加算される（法79，通法58）。

　(例3)　A株式会社は当期において欠損金額が500,000円となり，納付すべき法人税額は0となった。当期中に源泉徴収された所得税額が100,000円あるが，法人税額より控除できないため，確定申告書に記載することにより還付されることになる。

② 中間納付税額の還付

確定申告書の提出があった場合において，確定申告における法人税額から控除しきれなかった中間申告納付税額は，還付される。また，中間納付税額について納付された延滞税または利子税のうち，還付すべき中間納付税額に対応する金額も，あわせて還付される（法80①，②）。中間納付税額が還付される場合には，還付加算金が加算される（法80③）。

（例4） 事業年度1年のA株式会社は，中間申告において294万円の税額を納付した。下半期の不況が影響して，確定申告における法人税額は210万円であった。確定申告において還付を受ける金額は84万円（294万円－210万円）である。

4 更正，決定等

法人の所得金額および税額については，税務署長による調査が行われる。無申告に対しては所得金額と税額を決定し（通法25），申告済の所得金額および税額が調査した額と異なるときは，それらの金額を更正する（通法24）。そして，行政的な制裁として，更正または決定されたときは加算税が課せられ，滞納については延滞税が加えられ，正しい申告と納税が行われるよう規制している。

青色申告書につき更正する場合には，更正理由を付記しなければならず（法130②），また，推計による更正ができないことになっている（法131）。

更正には，法人税の法定申告期限から5年を経過した日以後は更正することができないという，期間制限が設けられている。ただし，純損失等の金額の増減更正および不正な行為によって法人税を免れた場合（脱税）の更正または決定については，期間制限が7年間とされる（通法70）。

申告と納税は，前述のとおり，決算期日の翌日から2カ月以内の法定申告期限までに行わなければならない。期限に遅れて申告されたものは期限後申告となり，加算税の対象となる。納税申告書を提出した後，その申告額が過少であることが判明し，更正のある前にその課税標準や税額を増額する場合は，修正申告ができる。更正と修正申告の相違は，前者が税務官庁による金額の変更に対し，後者は納税者に自発的な申告による増額変更である（通法17～19）。

さらに，申告した課税標準や税額計算に誤りがあり，税額が過大であるときは，法定申告期限から1年以内に，減額のために，更正の請求をすることができ

る（通法23①）。

> （注）　延滞税および加算税については，「第8章　第4節　租税公課　2　損金不算入の主要な租税公課」を参照されたい。

5　不服の申立て

　法人税に関する更正，決定等の処分について不服がある場合には，まず処分をした税務署長，国税局長または国税庁長官に対して，「異議申立て」を，処分のあったことを知った日の翌日から2カ月以内に行うことができる（通法75①，77）。なお，国税局長がした処分および青色申告書についての更正の場合等には，異議申立てをしないで，直接に審査請求することができる（通法75①，④）。

　異議申立ての決定になお不服がある場合は，異議決定謄本の送達日の翌日から1カ月以内に，国税不服審判所長に対し，「審査請求」をすることができる（通法75③，77）。

　税務署長等の異議審理庁が行う異議申立ての決定，または，国税不服審判所長が行う審査請求の裁決は，異議申立てまたは審査請求につき，決定期間後になされたこと等不適法なときは「却下」，理由がないときは「棄却」，理由のあるときは「処分または一部の取消し」または「変更」という内容である（通法83，92，98）。

　審査請求の裁決になお不服のある場合には，「訴訟」を提起することができる（通法115①）。

第2節　法人税申告書・資本金等の額および利益積立金

1　法人税申告書

　法人税申告書の主要なものは，所得計算を扱う別表四，利益積立金計算を行う別表五㈠Ⅰ，そして，集計と税額計算を行う別表一㈠である（書式は付録参照）。法人税申告書別表四「所得の金額の計算に関する明細書」における「所得金額」は，確定した決算に基づく財務諸表上の「当期純利益」の金額を出発点として，

申告調整を行うことにより計算される。

法人税申告書別表五㈠Ⅰ「利益積立金額の計算に関する明細書」において計算される「利益積立金」は，財務諸表において，利益を源泉として留保されている「利益剰余金」に対応するものである。ただし，財務会計における利益剰余金と税法上の利益積立金とは相違点も多い。別表五㈠Ⅰにおける税法上の「利益積立金」は，貸借対照表における利益剰余金の金額，株主資本等変動計算書の内容，そして，別表四に示された税務留保項目により，その計算が行われる。

重要な益金・損金項目である，受取配当金，各種引当金，準備金，寄附金・交際費等，減価償却等について，それぞれに別表が定められている。これらの別表における計算結果は別表一㈠〈税額の計算〉・別表四〈所得金額の計算〉・別表五㈠Ⅰ（利益積立金の計算）に集約される。

2　資本金等の額

会社法，財務会計では，株主から払い込まれた資本を，資本金と資本剰余金（資本準備金とその他資本剰余金）に区分しているが，税法では「資本金等の額」として一本化している。

資本金等の額とは，法人が株主等から出資を受けた金額をいう（法2十六）。その算式は次の通りである（令8）。

　資本金の額＋加算項目（1～14）－減算項目（15～21）＝　資本金等の額
　加算項目の例：（項目1）株式の発行をした場合に払い込まれた金額のうち資本金に計上しなかった金額
　減算項目の例：（項目15）会社法に規定する準備金・剰余金の額を減少して資本金の額を増加した場合等における増加額

（例1）　A社は増資のため株式1,000株を1株120,000円で発行し，全額の引受け・払込みを受け，当座預金とした。1株の発行価額のうち60,000円は資本に組み入れないことにした（会445②）。この場合の財務会計および税法における仕訳は次のとおりである。
《資本金に組み入れる額→資本金》
60,000円×1,000株＝60,000,000円
《資本金に組み入れない額→資本準備金》
60,000円×1,000株＝60,000,000円
　〈財務会計〉

（借）　当座預金　120,000,000 円　（貸）　資　本　金　　60,000,000 円
　　　　　　　　　　　　　　　　　　　資本準備金　　60,000,000 円
　〈税法〉
（借）　当座預金　120,000,000 円　（貸）　資本金等の額　120,000,000 円

　資本金等の額は，申告書「別表五㈠Ⅱ　資本金等の額の計算に関する明細書」で計算される。

3　利益積立金額

　法人税法における利益積立金とは，法人が所得金額等から留保している金額をいう（法２十八）。財務会計における利益剰余金に対応するものであるが，利益積立金と利益剰余金とは相違点も多い。

　留保金額は，主として「各事業年度の所得金額」より留保される。益金不算入の受取配当金等は所得金額の計算上は減算されるが，留保金額の計算上は減算されないから，受取配当金等からも留保がなされる。

　「各事業年度の所得金額」から留保される金額には，減価償却超過額，引当金の繰入限度超過額が含まれ，これらは税法上の利益積立金額を構成する。

　利益積立金は受取配当金の原資（法23①一）として，税法上重要な項目である。

　利益積立金額の算式は，次の算式のとおり，加算項目（1～4）から減算項目（5～9）を差し引いて，計算する（令9）。

　　（過去事業年度の加算項目 − 減算項目）＋（当該事業年度開始日以後の加算項目 − 減算項目）＝利益積立金額
　　加算項目の例：（項目 1）所得金額から留保された金額（留保していない金額があるときはその金額を差し引く）
　　　　　　　イ　＋所得金額
　　　　　　　ロ　＋受取配当金益金不算入額
　　　　　　　ハ　＋還付金益金不算入額
　　　　　　　ニ　＋青色申告繰越欠損金の損金算入額
　　　　　　　ホ　−欠損金額
　　　　　　　ヘ　−法人税および地方法人税・住民税として納付することになる金額
　　減算項目の例：（項目 5）剰余金の配当（資本剰余金の減少に伴うもの・分割型分割によるものを除く）

　利益積立金は，申告書「別表五㈠Ⅰ利益積立金額の計算に関する明細書」で計

算され，その基本的な仕組みは，次の算式で示される。

　各事業年度の留保金額合計－各事業年度の未納法人税，未納地方法人税，道府県民税および市町村民税合計－各事業年度の欠損金額合計＝利益積立金額

4　申告書「別表四」「別表五㈠Ⅰ」

　所得金額と利益積立金額との関係につき，申告書「別表四」と「別表五㈠Ⅰ」の記載例を，例2で示したい。

　(例2)　次の資料により，設立第1期末の税法上の所得金額と利益積立金額を，別表四および別表五㈠Ⅰにより，計算しなさい（概要説明のため金額表示は万円単位に要約）。

　　㈑　当期純利益　　　　　　　　　　　　　670,000 円
　　㈺　納税充当金計上額　　　　　　　　　　300,000 円
　　　　（法人税および地方法人税・道府県民税および市町村民税・事業税等期末計上額）
　　㈻　償却超過額　　　　　　　　　　　　　 20,000 円
　　㈼　交際費等損金不算入額（社外流出）　　 10,000 円
　　㈭　当期所得金額　　　　　　　　　　　1,000,000 円
　　㈻　当期法人税・地方法人税　　　確定額（未納）160,000 円
　　　　当期道府県民税　　　　　　　確定額（未納） 30,000 円
　　　　当期市町村民税　　　　　　　確定額（未納） 70,000 円

〈答〉

別表四　所得金額の計算

区　　　　分	総　額	処　分	
		留　保	社　外　流　出
当　期　利　益	円 670,000	円 670,000	配当 その他
加算　損金経理をした法人税および地方法人税 損金経理をした道府県民税および市町村民税 損金経理をした納税充当金 減価償却の償却超過額 交際費等の損金不算入額	300,000 20,000 10,000	300,000 20,000	円 その他　10,000
小　　　　計	330,000	320,000	
減算			
所　得　金　額	1,000,000	990,000	10,000

別表五㈠Ⅰ　利益積立金額の計算

区　　　分	期首現在利益積立金額	当期中の増減		差引翌期首現在利益積立金額
		減	増	
利益準備金 　　積立金 減価償却超過額 繰越損益金 納税充当金	円	円	円 20,000 670,000 300,000	円 20,000 670,000 300,000
未納法人税等　未納法人税.未納地方法人税　中間 　　　　　　　　　　　　　　　確定 　　　　　　　　未納道府県民税　　中間 　　　　　　　　　　　　　　　確定 　　　　　　　　未納市町村民税　　中間 　　　　　　　　　　　　　　　確定			 △160,000 △30,000 △70,000	△160,000 △30,000 △70,000
差　引　合　計　額			730,000	730,000

利益積立金額の計算を算式で示せば，次のとおりである．
（別表四）留保欄合計　　　　　　　　　　　（別表五㈠Ⅰ）差引翌期首
　　　　　　　　　　　　　　　　　　　　　　　　　　　現在利益積立金額
当期留保金額　990,000円 − 未納法人税等 260,000円* ＝ 利益積立金額 730,000円
　　＊未納法人税等（ヘ）　160,000円＋30,000円＋70,000円＝260,000円

第Ⅳ部

企業税務における重要課題

第Ⅳ部のねらい

重要課題としての国際税務と企業集団税制（第18章，19章）

　企業活動の国際化・企業集団化が急速に拡大し，国際税務・企業集団税制の重要性が高まってきている。移転価格税制を中心とする国際税務，企業集団税制として企業組織再編税制と連結納税につき，その概要を解説している。

消費税の仕組み（第20章）

　企業税務において重要性を増してきている消費税につき，その仕組みの要点を説明している。

第18章 国際税務

第1節 外貨建取引の換算等

① 外貨建取引の換算

外貨建取引とは,外国通貨で支払われる資産の販売および購入,役務の提供,金銭の貸付けおよび借入れ,利益の配当その他の取引をいう。

内国法人が外貨建取引を行った場合には,その円換算額は外貨建取引を行った時における外国為替の売買相場により換算した金額とされる(法61の8)。

② 外貨建資産等の期末換算の方法

内国法人が事業年度終了時に外貨建資産および負債(外貨建資産等という)を有する場合には,期末における外貨建資産等の円換算額は,次の方法により換算した金額とする(法61の9①)。

一　発生時換算法

　外貨建資産等の取得または発生の基因となった外貨建取引金額の円換算に用いた外国為替売買相場による換算額

二　期末時換算法　　期末時における外国為替売買相場による換算額

③ 外貨建資産等の期末時換算方法の選択

期末時に有する外貨建資産等の期末時換算方法の選定は,次のとおりである(法61の9①)。

一　外貨建債権・債務

外貨建債権・債務とは，外国通貨で支払いを受け，または支払いを行うべきこととされている金銭債権・債務をいう。⇒発生時換算法または期末時換算法

二　外貨建有価証券

外貨建有価証券とは，償還，払戻し等が外国通貨で行われる有価証券をいう。

(イ)　売買目的有価証券⇒期末時換算法

(ロ)　売買目的外有価証券（償還期限および償還金額の定めのあるものに限る）⇒発生時換算法または期末時換算法

(ハ)　(イ)(ロ)以外の有価証券⇒発生時換算法

三　外　貨　預　金⇒発生時換算法または期末時換算法

四　外　国　通　貨⇒期末時換算法

④　外貨建資産等の法定の期末換算方法

　発生時換算法または期末時換算法のいずれかの選定が認められている外貨建資産等の換算法については，外国通貨の種類ごとに，一定の区分ごとに，換算方法の届出を必要とする。その届出のなかった場合の法定換算方法は，短期外貨建債権・債務および短期外貨建預金（ともに1年基準）については期末時換算法，その他については発生時換算法とされる。

⑤　為替換算差額の益金・損金の算入

　内国法人が期末時に外貨建資産等の金額を期末時換算法により換算した金額とその帳簿価額との差額は，当該事業年度の所得金額の計算上，益金または損金の額に算入する（法61の9②）。

　なお，益金・損金に算入された為替換算差額は，翌期に洗替え処理が行われ，翌期の損金・益金の額に算入する（令122の8）。

⑥　著しい為替変動時における期末時換算

　期末時に外国為替の売買相場が著しく変動した場合には，同種通貨の外貨建資産等のすべてにつき，期末時に取得・発生の基因となる外貨建取引を行ったものとして，円換算を行うことができる（法61の9③，令122の3）。

(注) このほか，為替予約差額の配分につき，定めがある。

(例1) A社の当期末における外貨建債権債務は，次のとおりである。

  短期債権 外貨建金額 6,000ドル 帳簿価額 720,000円
  短期債務 〃 4,000ドル 〃 460,000円
  長期債権 〃 3,000ドル 〃 390,000円
  長期債務 〃 2,000ドル 〃 250,000円

期末為替相場は1ドル110円である。

A社は短期債権債務の換算法として期末時換算法，長期債権債務の換算法として発生時換算法を選定している。換算差損益を計算し，仕訳を示しなさい。

〈答〉
 (イ) 短 期 債 権
  110円×6,000＝660,000円（期末時換算額）
  《帳 簿 価 額》
  720,000円−660,000円＝60,000円（短期債権換算損）
 (ロ) 短 期 債 務
  110円×4,000＝440,000円（期末時換算額）
  《帳 簿 価 額》
  460,000円−440,000円＝20,000円（短期債務換算益）
 (ハ) 長期債権債務は発生時換算法によるため，換算差損益は計上されない。

〈仕　訳〉
 (イ) (借) 為替差損 60,000 (貸) 短期債権 60,000
 (ロ) (借) 短期債務 20,000 (貸) 為替差益 20,000

換算差損益は，翌期に洗替えを行う。

第2節　移転価格税制

―国外関連者との取引に係る課税の特例―

　親子会社間の棚卸資産の販売や用役の提供等，財貨・サービスの移転に伴う取引価格を，移転価格（振替価格，transfer price）と呼んでいる。企業活動が多国籍化している現在において，日本の親会社が低税率の外国に子会社を設立し，外国子会社との取引において正常でない価格の設定を通して親会社所得を外国に移転し，結果として日本における所得課税額の減少をもたらすことがある。このような弊害を防ぐため，移転価格を規制する税制が定められている。それは，わが国の法人と国外関連者との取引価格が不適当である場合に，独立企業間価格（独

立第三者間取引における通常の価格）で取引が行われたものとして課税所得を計算するものである。この移転価格税制は国外関連者（外国親子会社等）との間の取引を対象としており，国内の関連者間取引を対象としていない。

① 不適当な国外関連取引価格に対する独立企業間価格の適用

法人がその国外関連者（外国子会社等）と行う取引（資産の販売・購入，役務の提供等）の対価額が独立企業間価格と異なることにより，その法人所得が減少することがある。この場合には，その国外関連取引が独立企業間価格で行われたものとみなして所得金額を計算する。国外関連取引価格が独立企業間価格と異なる場合には，次の２つがある（措法66の4①）。

(1) 法人が国外関連者から支払を受ける対価が独立企業間価格に満たないとき
　　例：親会社が外国子会社に不当に低い価格で製品を販売したとき
(2) 法人が国外関連者に支払う対価が独立企業間価格を超えるとき
　　例：親会社が外国子会社より不当に高い価格で商品を購入したとき

法人と国外関連者との取引が第三者（非関連者）を通じて行われる場合でも，その法人と非関連者との取引は国外関連取引とみなされ，移転価格税制の適用がある（措法66の5⑤）。この規定は，非関連者を介在させて適用除外を図る行為を防ぐためのものである。

「独立企業間価格（arm's length price）」とは，同様の取引状況のもとで，支配従属関係にない独立した企業の間で取引された場合に成立する通常価格であり，独立第三者間取引価格ともいえるものである。

- （例1）　内国法人Ａ社は外国子会社Ｂ社へ棚卸資産を1,000万円の売価で販売したが，その独立企業間価格は1,300万円と認定された。この場合には，300万円（1,300万円−1,000万円）を売上に加算して益金算入とされ，結果として所得金額が300万円増額されることになる。
- （例2）　内国法人Ａ社は外国子会社Ｃ社より棚卸資産を1,200万円の価格にて購入したが，その独立企業間価格は1,000万円と認定された。この場合には，所得計算において仕入が200万円減らされて損金不算入となり，結果として所得金額が200万円増額されることになる。

なお，法人の国外関連取引価格と独立企業間価格との差額については，所得金額の計算上，損金に算入されない（措法66の4④）。

② 国外関連者

規制の対象となる「国外関連取引」とは，法人とその国外関連者との間における資産の販売および購入，役務の提供等の取引をいう。

「国外関連者」とは，法人と次の「特殊の関係」にある外国法人をいう（措法66の4①，措令39の12①）。

(1) 一方の法人が他方の法人の発行済株式等の50%以上を直接または間接に保有する関係

　　例：日本親会社と外国子会社
　　　　日本子会社と外国親会社
　　　　日本親会社と外国孫会社

(2) 2つの法人が同一の者によって，それぞれの発行済株式等の50%以上を直接または間接に保有する関係

　　例：日本法人と外国法人が姉妹会社関係にある場合

(3) 役員人事，取引活動，資金借入に関する依存の事実によって，一方の法人が他方の法人の事業の方針の全部または一部につき実質的に決定できる関係

③ 独立企業間価格の算定方法

棚卸資産の売買取引における独立企業間価格の算定基準としては，次の四つの方法のいずれかを用いればよいことになっている。ただし，� その他の方法は㈦，㈡，㈢の方法を用いることができない場合に限り用いることができる（措法66の4②一）。

(イ) 独立価格比準法（comparable uncontrolled price method）

(ロ) 再販売価格基準法（resale price method）

(ハ) 原価基準法（cost-plus method）

(ニ) その他の方法

(例3) 独立価格比準法

内国法人A社は米国子会社（販売会社）B社へ甲製品を販売した。A社は米国の独立販売代理店C社へも，甲製品を同一取引条件のもとに100万円で販売している。この場合には独立価格比準法により，非関連者であるC社への販売価格100万円が，B社への国外関連取引における独立企業間価格とされる。

(例4) 再販売価格基準法

内国法人A社は米国子会社（販売会社）B社へ甲製品を販売し、B社は非関連者であるC社に甲製品を100万円（円換算額）にて再販売した。B社は同種製品を非関連者であるD社より購入し、それをC社に再販売しており、その場合における売上総利益率は20%である。このケースでは、再販売価格基準法により、独立企業間価格は80万円となる。

100万円×20%＝20万円　通常の利潤額
100万円－20万円＝80万円　独立企業間価格

(例5) 原価基準法

内国法人A社は、外国子会社（販売会社）B社へ甲製品（製造原価50万円）を販売した。A社が甲製品を同地域の非関連者である販売代理店C社へ販売したときの原価に対する売上総利益の割合は30%である。この場合には、原価基準法によりA社のB社への国外関連取引の独立企業間価格は65万円となる。

50万円×30%＝15万円　通常の利潤額
50万円＋15万円＝65万円　独立企業間価格

（注）　移転価格については、法人に資料提出・報告義務がある（措法66の4⑧）。

第3節　タックス・ヘイブン税制
―特定外国子会社等の課税対象金額の益金算入―

これは、タックス・ヘイブン（tax haven, 租税回避地）と呼ばれる軽課税国に外国子会社を設けて行われる、国際的な規模における租税回避（tax avoidance）を防ぐための規定である。すなわち、所得に対する課税がないか、または著しく低い課税しか行われない国に子会社を設立し、軽課税国に所得を集中すればわが国法人税の課税が行われないことになる。このような租税回避を防ぐため、軽課税国に存在する在外子会社（特定外国子会社等という）の課税対象金額（適用対象金額に対する内国法人の持分対応額）を内国法人の所得とみなして、法人税を課税しようとするものである。ただし、外国子会社等が独立企業として十分な経済合理性を持って事業活動を行っている場合には、その適用が除外される（措法66の6）。

《特定外国子会社等》

わが国の居住者および内国法人の有する直接および間接保有の株式等の総数が

50%を超える外国法人を，外国関係会社という。特定外国子会社等とは，外国関係会社で軽課税国に本店または主たる事務所を有するものであって，内国法人によって，その株式を直接または間接に10%以上保有されているものをいう（措法66の6①）。

軽課税国等とは，法人のすべての所得または特定の所得に対して租税負担が著しく低い国として，子会社等の税負担が所得金額の20%未満かどうかにより特定外国子会社等を判定する（措令39の14①）。

第4節 過少資本税制
―国外支配株主等に係る負債利子の課税の特例―

　この規定は，外資系企業が，株主からの過少資本と過大借入金によって多額の支払利息を損金に算入する行為を防ぐことを目的にしている。外資系の内国法人が，国外支配株主等（持株比率50%以上等）に負債の利子を支払う場合に，期末の国外支配株主等に対する有利子負債平均残高が，株主資本持分（純資産）の3倍を超える場合には，その超過分に対する利子は，超過額対応額として，損金に算入されない（措法66の5①，措令39の13）。その算式は次のとおりである。

$$\begin{pmatrix}当期の国外支配株主等\\に対する支払利子総額\end{pmatrix} \times \frac{\begin{pmatrix}国外支配株主等に対す\\る有利子負債平均残高\end{pmatrix} - \begin{pmatrix}国外支配株主等\\の純資産持分\end{pmatrix} \times 3}{(国外支配株主等に対する有利子負債平均残高)} = \begin{pmatrix}超過額対応額\\(損金不算入額)\end{pmatrix}$$

（例1）　外資系の内国法人甲社の当期における国外支配株主等に対する有利子負債平均残高は5,000万円，負債利子は200万円であり，国外支配株主等の純資産持分は1,000万円である。負債利子の損金不算入額を計算しなさい。
　　〈答〉
$$2,000,000\text{円} \times \frac{50,000,000\text{円} - 10,000,000\text{円} \times 3}{50,000,000\text{円}} = 800,000\text{円} \begin{pmatrix}超過額対応額\\(損金不算入額)\end{pmatrix}$$
　　　（注）　純資産の3倍基準に代えて，類似法人基準を用いることができる。

第 5 節　過大支払利子税制
―関連者等に係る支払利子等の損金不算入―

　平成 24 年度税制改正において，過大支払利子税制が導入された。企業がその関連者から多額の借入を行い，過大な支払利息を損金算入することによって，所得金額を減少させる租税回避（所得移転）を防止することを，目的にしている。その内容は，関連者（持分割合 50% 以上の親会社・子会社等）への純支払利子等の額のうち，調整所得金額の 50% を超える部分の金額を当期の損金不算入額とするというものである（措法 66 の 5 の 2 ①）。

　関連者純支払利子等の額 − 調整所得金額 × 50% = 損金不算入額
　　関連者純支払利子等の額 = 関連者への支払利子等 − 対応する受取利子
〈調整所得金額（主要項目）〉
　　　当期所得金額 + 関連者純支払利子等の額 + 減価償却費等
（例）　　　　　　　　　　　　　　　　　（単位：百万円）
　　関連者純支払利子等の額　　　　　　100
　　調整所得金額　　　　　　　　　　　120
　　損金算入限度額　　　　　120 × 50% = 60
　　超過利子額（当期損金不算入額）100 − 60 = 40

第19章 企業集団税制

第1節　企業組織再編税制

　経済活動の構造的変化，国際化の進展に対応して，企業組織再編成が重要課題となり，企業集団化が加速している。企業の組織再編成を進めるためには税制の整備が不可欠である。企業組織再編税制には，株式交換・株式移転，合併・分割等がある。その概要を以下に述べたい。

1　株式交換・株式移転に係る課税の特例

①　株式交換・株式移転に関する会社法規定
　会社法は，組織再編に関する定めとして，組織変更，合併，会社分割とともに，株式交換および株式移転についての条文を設けている。
　株式交換とは，株式会社がその発行株式の全部を他の株式会社または合同会社に取得させることをいう（会2三十一）。
　株式移転とは，1または2以上の株式会社が，その発行済み株式の全部を，新たに設立する株式会社に取得させることをいう（会2三十二）。

②　株式交換・株式移転税制の主旨
　株式交換・株式移転税制の主旨につき，平成11年度税制改正の要綱（五の3）では，次のとおり述べている。
　(1)　株式交換または株式移転により子会社となる会社の株式を，親会社となる

会社が，株主の帳簿価額合計額以下を受入価額とする等の要件を満たすときには，子会社株式の取得価額引継ぎによる課税の繰延べを認める。
(2) 株式移転により子会社となる新子会社が，新親会社に対して，その株式移転後に譲渡する全額出資の子会社株式について，新子会社の帳簿価額を親会社が取得価額とする等の要件を満たすときには，譲渡益に対する課税を行わない。

要するに，株式交換・株式移転に対し時価による課税がなされることによって企業組織再編成が妨げられることのないように，帳簿価額の引継ぎによる課税繰延措置が定められ，税制の中立性が重視されたといえよう。

適格株式交換・適格株式移転では，親法人が受け入れる子法人株式の取得価額は帳簿価額等とされる。子法人株主が50人未満の場合は子法人株式の帳簿価額，子法人株主が50人以上の場合は子法人の簿価純資産価額が，親法人の取得価額とされる（令119①九，十一）。

③ 適格株式交換

株式交換において，株主の有する株式を他の法人に取得させたその株式の発行法人を「株式交換完全子法人」という。（法2十二の六の三）。株式交換によって，他の法人の全株式を有することとなった法人を「株式交換完全親法人」という（法2十二の六の四）。

適格株式交換とは，企業グループ内の株式交換および共同事業を営むための株式交換において，株式交換完全子法人の株主に，株式交換完全親法人の株式または株式交換完全支配親法人株式のいずれか一方の株式以外の資産が交付されないものをいう（法2十二の十六）。

(例1) 適格株式交換における処理
　　A社（株式交換完全親法人）は，B社の発行株式1,000株を，株式交換によりB社株主（50人未満）より取得し，B社を株式交換完全子法人とした。関連事項は以下のとおりであり，その仕訳を示しなさい。

　　　　B社株主の1株の帳簿価額　　　　7万円
　　　　B社株主の1株の時価　　　　　　10万円
　　　　A社が交付した株式1株の時価　　10万円
　　　　A社が交付した株式数　　　　　　1,000株

　　なお，資本金への組入額は，1株あたり50,000円とする。
《株式交換完全親法人A社》

| (借) | B 社株式 | 7,000 万円 | (貸) | 資本金等の額 | 7,000 万円 |

$$\begin{pmatrix}資\ 本\ 金 & 5,000 万円\\ 資本準備金 & 2,000 万円\end{pmatrix}$$

B 社株主（株式交換後 A 社株主）

| (借) | A 社株式 | 7,000 万円 | (貸) | B 社株式 | 7,000 万円 |

(注1) 仕訳における資本金，資本準備金は財務会計上の処理を示す。

(注2) 非適格株式交換の場合，親会社は時価を取得価額として受け入れる（令119①二十五）。子法人は資産の時価評価を行い，子法人の含み損益（時価評価資産評価損益）が計上され，課税計算の対象となる（法62の9）。

④ 適格株式移転

株式移転により，その株主の有する株式を株式移転により設立された法人に取得させたその株式の発行法人を，「株式移転完全子法人」という。（法２十二の六の五）。株式移転により他の法人の株式の全部を取得した，株式移転により設立された法人を「株式移転完全親法人」という（法２十二の六の六）。

企業グループ内株式交換および共同事業を営むための株式移転において，株式移転完全子法人の株主に，株式移転完全親法人の株式以外の資産が交付されないものを適格株式移転という（法２十二の十七）。

（例２） 適格株式移転における処理

A 社は，株式移転完全親法人 P 社を設立し，A 社株主（50人未満）から受け入れた A 社株式を P 社に移転するとともに，A 社株主に P 社株式を交付し，A 社は株式移転完全子法人となった。A 社株主は株式移転の結果，P 社株主となった。関連する資料は以下のとおりであり，その仕訳を示しなさい。

A 社株主の所有する A 社株式：1株の帳簿価額6万円，時価10万円，株式数1,000株

株式移転完全親法人 P 社が交付した株式：1株の時価10万円，株式数1,000株

なお，資本金への組入額は，1株あたり50,000円とする。

《株式移転完全親法人 P 社》

| (借) | A 社株式 | 6,000 万円 | (貸) | 資本金等の額 | 6,000 万円 |

$$\begin{pmatrix}資\ 本\ 金 & 5,000 万円\\ 資本準備金 & 1,000 万円\end{pmatrix}$$

《A 社株主（株式移転後 P 社株主）》

| (借) | P 社株式 | 6,000 万円 | (貸) | A 社株式 | 6,000 万円 |

(注1) 仕訳における資本金，資本準備金は財務会計上の処理を示す。

(注2) 非適格株式移転においては，子法人は資産の時価評価を行い，子法人の含み損益（時価評価資産評価損益）が計上され，課税計算の対象となる（法62の9）。

2　合併に関する税法規定

①　合併における資産の移転
　合併における資産の移転は，原則として時価による譲渡とされ，合併時に譲渡損益の課税がなされる。ただし，一定の要件に適合した場合には，適格合併として資産等の移転につき税務帳簿価額が引き継がれて課税が繰り延べられるため，合併時に譲渡損益の発生がない（法62の2）。

②　適格合併の要件
　適格合併とは被合併法人株主に，「合併法人株式または合併親法人株式のいずれか一方の株式」以外の資産が交付されないもので，企業グループ内の合併および共同事業を営むための合併（一定の要件を満たすもの）をいう（法2十二の八，令4の2②③④）。

③　適格合併の税務処理
イ　被合併法人の資産等の税務帳簿価額は合併法人に引き継がれる（法62の2）。

ロ　被合併法人の利益積立金額が合併法人に引き継がれる（法2十八，令9①二）。

ハ　合併法人株式または合併親法人株式は，まず被合併法人に交付され，ついで被合併法人株主に渡される。この場合において，合併法人株式の交付原資は「資本金等」とされる（法62の2，令123の3②）。

ニ　被合併法人株主は，合併法人株式または合併親法人株式のみ交付されるため，株主としての持分が継続しているとして，被合併法人株式の譲渡損益は計上されない（法62の2）。

ホ　合併法人が適格合併により合併親法人株式を交付した場合における譲渡対価は，適格合併直前の帳簿価額とされ（法61の2⑦），課税が繰り延べられる。

④ 適格合併における青色繰越欠損金の引継ぎ

適格合併において，原則として，被合併法人または分割法人における青色欠損金（前9年以内）の未処理欠損金額は，合併法人等に引き継がれる（法57②）。

(注) 繰越欠損金引継ぎに関する制限規定がある。

(例3) 適格合併の税務処理

適格合併により，甲社（合併法人）は，乙社（被合併法人）と合併した。乙社の貸借対照表は次のとおりである。なお，資本金および資本準備金は財務会計上の処理，資本金等の額は税務上の処理を示している。

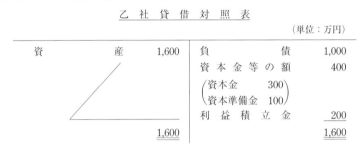

乙 社 貸 借 対 照 表
(単位：万円)

資　　　　　産	1,600	負　　　　　債	1,000
		資 本 金 等 の 額	400
		（資本金　　300）	
		（資本準備金　100）	
		利 益 積 立 金	200
	1,600		1,600

関連する資料は次のとおりである。

(1) 資産の時価は2,000万円である。
(2) 甲社は新株を60株発行し，1株あたり5万円を資本金に組み入れた。

適格合併の場合には，次のとおり甲社（合併法人）に資産の税務帳簿価額が引き継がれる（法62の2）。

《合併法人（甲社）》

(借) 資　　産	1,600	(貸) 負　　債	1,000
		資本金等の額	400
		（資 本 金　300）	
		（資本準備金　100）	
		利 益 積 立 金	200

乙社（被合併法人）では，甲社に対し，資産・負債を税務帳簿価額で移転し，利益積立金を引き継ぐとともに甲社株式を取得する。その仕訳は，次のとおりである（単位：万円）。

被合併法人（乙社）

(借) 負　　債	1,000	(貸) 資　　産	1,600
利益積立金	200		
甲 社 株 式	400		

ついで，乙社（被合併法人）は乙社株主へ，乙社株式と交換に，甲社株式を交

付する。その仕訳は次のとおりである（単位：万円）。

(借) 資本金等の額　　400　　(貸) 甲社株式　　400
　　　(資　本　金　300)
　　　(資本準備金　100)

（注）非適格合併の税務処理：甲社による乙社の合併が非適格であるときは，乙社の資産は時価で譲渡されたものとして，資産譲渡益（時価2,000万円 − 簿価1,600万円 = 400万円）が課税される。

3　会社分割税制

　会社分割とは，会社（分割会社）がその営業の全部または一部を，他の会社（分割承継会社）に承継させる行為をいう。会社分割では，原則として時価による譲渡益課税がなされるが，適格分割では帳簿価額の引継ぎにより課税が繰り延べられる。

　税法では，分割により分割承継法人が発行する株式等が，分割法人の株主に交付されるか否かによって，分割型分割と分社型分割とに分けられる。

①　分割型分割

　分割により分割法人が交付を受ける分割承継法人の株式その他の資産（分割対価資産）のすべてが，分割日に分割法人の株主等に交付されるものをいう（法2十二の九）。この場合には，分割法人は分割承継法人の株式を所有しないため，資本金等の額等（財務会計では株主資本）が減少することになる。分割型分割で適格分割の要件を満たしたものは，適格分割型分割になる（法2十二の十二）。

②　分社型分割

　分割により分割法人が交付を受ける株式等（分割対価資産）が，分割日に分割法人の株主等に交付されないものをいう（法2十二の十）。この場合は，分割法人の資本金等の額等（財務会計では株主資本）に変化はなく，分割法人は分割承継法人の株式を保持することになる。分社型分割で適格分割の要件を満たしたものは，適格分社型分割となる（法2十二の十三）。

③ 適格分割の要件

会社分割が，適格分割として課税繰延べが適用されるには，分割による事業の移転の対価として，分割型分割にあっては「分割法人株主等」に対し，分社型分割にあっては「分割法人」に対し，「分割承継法人株式または分割承継親法人株式のいずれか一方の株式」のみが交付されることが必要である。

(注) 適格分割要件の詳細について定めがある。

④ 適格分社型分割の税務処理例

適格分割の二つのタイプのうち，適格分社型分割の税務処理を示せば，(例4)のとおりである。

(例4) 適格分社型分割の税務処理

甲社（分割法人）は，適格分社型分割を行い，B事業資産を税務帳簿価額3,000万円で乙社へ移転し，分割承継法人である新設会社乙社の株式100％を受け入れた。乙社（分割承継法人）はB事業資産を承継した。（　）は財務会計上の処理を示している。

甲社貸借対照表　　　　　　　（単位：万円）

A事業資産	7,000	負債	0
B事業資産	3,000	資本金等の額	6,000
		(資本金　　5,000)	
		(資本準備金 1,000)	
		利益積立金	4,000
	10,000		10,000

関連する資料は次のとおりである。
(1) 各事業資産の時価は，A事業資産が10,500万円，B事業資産が4,500万円である。
(2) 乙社は，新株を300株発行し，1株あたり5万円を資本金に組入れた。

分割法人（甲社）　　　　　　　　　　　　　　　　　　　　　（単位：万円）
　　（借）乙株式　　3,000　　（貸）B資産　　3,000
分割承継法人（乙社）
　　（借）B資産　　3,000　　（貸）資本金等の額　3,000
　　　　　　　　　　　　　　　　　(資本金　　1,500)
　　　　　　　　　　　　　　　　　(資本準備金 1,500)

(注1) 非適格分割の税務処理：甲社の分割が非適格分割である場合には，資産が時価で譲渡されたものとして，甲社に資産譲渡益（時価4,500万円－簿価3,000万円＝1,500万円）が課税される。

(注2) このほか，租税回避の防止，非適格合併等により移転を受ける資産等に係る調

整勘定の損金算入等，租税回避の防止等の定めがある。

《税務計画メモ》
　企業組織再編時においては，原則として，時価譲渡益課税がなされ，企業組織再編の阻害要因になりかねない。税制の中立性の立場から，一定の要件による適格株式交換，適格株式移転，適格合併，適格分割では，帳簿価額が引き継がれるため，課税の繰延べ（将来の売却時における課税）が可能となる。企業組織再編にあたっては，適格要件の検討が重要である。

第2節　連結納税制度

　連結納税制度は，親子法人の所得・欠損金を連結して課税計算を行うものであり，平成15年（2003年）3月31日以後終了事業年度より適用された。さきに導入されていた企業組織再編税制に連結納税制度が加わり，日本における本格的な企業集団税制が形成されることになった。
　連結納税制度は，国税である法人税について導入されたものである。地方税である法人住民税および法人事業税については個別納税制度が適用される。

1　連結納税の納税義務および範囲

　法人税における連結納税は，次に示すように，連結親法人と持株比率100％の連結子法人の「全部」を対象範囲に含め，連結親法人が連結納税義務者となる内容である。
　連結親法人となる「内国法人」（普通法人または協同組合等）およびその完全支配関係にある「他の内国法人」（連結子法人となるもの）のすべてが，連結親法人である内国法人を納税義務者として法人税を納めることにつき，国税庁長官の承認を受けた場合には，これらの法人（連結親法人および連結子法人）は，連結親法人である内国法人を納税義務者として法人税を納めるものとする（法4の2）。
　連結子法人は，連結親法人との間に連結完全支配関係がある法人である。連結

完全支配関係とは，発行株式・出資の全部を直接・間接に保有する関係をいうため，100％持ち株子会社および孫会社等も含むことになる（法2，令14の3）。

連結親法人またはその連結子法人は，連結法人といわれる（法2十二の七の四）。

2　連結納税の承認申請

①　承認申請の手続

「内国法人」（連結親法人となるもの）および，その完全支配関係にある「他の内国法人」（連結子法人となるもの）の「すべて」の連名で，連結納税の承認申請書を，その「内国法人」（連結親法人となるもの）の納税地の所轄税務署長を経由して，国税庁長官に提出する（法4の3）。

②　承認申請の提出期限

連結納税承認申請の提出期限は，最初の連結事業年度開始日の3カ月前の日までとなっている（法4の3）。

③　連結法人の帳簿書類の保存

連結法人は，財務省令に定める帳簿書類に取引等を記録し，その帳簿書類を7年間保存しなければならない（法4の4①，則8の3の10）。

連結法人は，その資産，負債および資本に影響を及ぼす一切の取引につき，複式簿記の原則に従い，整然かつ明瞭に記録し，その記録に基づいて決算を行わなければならない（則8の3の4）。

3　連結所得の計算

法人税の課税標準となる連結所得の計算につき，その主要な点を以下に紹介したい。

①　連結法人の課税所得の範囲と連結事業年度

連結親法人に対し，各連結事業年度の連結所得について，「連結所得に対する

法人税」が課せられる（法6の2）。

連結事業年度は，連結親法人の事業年度開始日から終了日までの期間とする（法15の2）。

各連結事業年度の連結所得金額は，その連結事業年度の益金額から損金額を控除して算定される（法81の2）。

② **個別益金額または個別損金額の益金または損金算入**

個別所得計算における益金額・損金額は，別段の定めがあるものを除き，連結所得金額の計算上，益金額・損金額に算入する（法81の3）。

③ **連結所得調整**

連結所得金額は，各連結法人（親法人・子法人）の単体ベースの所得金額および欠損金額を合算し，それに連結所得調整を行って算定される。連結所得調整は，その項目によって，次の2つの方式が用いられる。

```
単体ベースにおける所得調整 ──合算→ 連結所得調整
単 体 の 個 別 帰 属 額 ←配分── 連結所得調整
```

連結所得調整には，単体ベースにおける所得調整の結果を合算する項目と，連結ベースで所得調整を行った額を，単体の個別帰属額として配分する項目がある。

④ **連結欠損金の繰越し**

連結欠損金額は，9年間の繰越控除ができる。すなわち，連結親法人の各連結事業年度開始日前9年以内に開始した連結事業年度において生じた連結欠損金額は，各連結事業年度の連結所得金額の計算上，損金に算入される。ただし，連結欠損金の繰越控除限度額は，資本金等の額が1億円以下などの連結親法人を除き，当該連結事業年度の控除前連結所得金額の連結欠損金控除限度割合に相当する金額とされる。連結欠損金は，各連結法人の連結欠損金個別帰属額に配分される（法81の9，令155の21）。

連結欠損金控除限度割合は次のとおりである（平成27年改正法附則30②）。

　平成27年4月1日〜28年3月31日開始事業年度　　65%

平成 28 年 4 月 1 日～29 年 3 月 31 日開始事業年度　　60%
　　平成 29 年 4 月 1 日～30 年 3 月 31 日開始事業年度　　55%
　　平成 30 年 4 月 1 日～　　　　　　　開始事業年度　　50%

4　連結納税開始・加入における資産の時価評価と欠損金持込制限

　連結納税の開始・加入において，連結子法人の資産の時価評価および欠損金持込制限が定められている。これは，個別納税における欠損金や資産含み損益を清算した後で，連結納税を始めるべきとの考え方が反映しているといえよう。ただし，一定の要件を満たす場合には，時価評価を要せず，また欠損金の持込みができる。

①　連結納税開始・加入に伴う資産の時価評価

　連結子法人となる内国法人は，連結開始直前年度終了時または連結加入直前年度終了時に所有する時価評価資産につき時価評価を行い，その評価益または評価損を，連結開始・加入直前事業年度に益金または損金に算入する（法 61 の 11，61 の 12）。

　連結親法人は，資産時価評価の対象にはならない。さらに，連結子法人で資産時価評価の対象とならないもの（特定連結子法人）があり，その例を示せば次のとおりである。

　　（例 i ）　連結納税適用開始において時価評価の対象とならないもの（法 61 の 11）

　　　　　　親法人に 5 年前から保有されている 100% 子法人　等
　　（例 ii）　連結納税加入において時価評価の対象とならないもの（法 61 の 12）
　　　　　　連結親法人または連結子法人が設立した 100% 子法人　等

②　連結納税適用前欠損金額の持込制限

　連結納税適用前に生じた欠損金の持ち込みは，制限されている。次の場合には欠損金の持ち込みができる。
　　i 　連結親法人の欠損金額（連結納税開始前 9 年以内に生じたもの）
　　ii　特定連結子法人（連結納税開始時に時価評価対象外法人〈親法人に 5 年前

から保有されている100％子法人等・法61条の11①〉）の開始・加入前9年以内に生じた欠損金額を連結欠損金額とみなし，その個別所得金額を限度として，損金の額に算入（法81の9①②③）。

5 連結法人税額の計算

「連結所得に対する法人税額」は，連結所得金額に「連結所得に対する法人税の税率」を乗じて計算する（法81の12）。連結法人税額の算定は，次のとおりである。

連結所得金額×連結法人税率＝連結所得に対する法人税額

$\begin{pmatrix}連結所得に対\\する法人税額\end{pmatrix} + \begin{pmatrix}連結留保金\\特別税額\end{pmatrix} - \begin{pmatrix}連結税額控除・\\特別税額控除\end{pmatrix}$ ＝連結法人税額

連結法人税率は連結親法人の区分に従って適用される（普通法人の税率は第16章第1節参照）。

6 連結納税に関する申告・納付

① 連結中間申告

連結親法人は，連結事業年度が6カ月を超える場合には，その連結事業年度開始日以後6カ月を経過した日から2カ月以内に連結中間申告書を税務署長に提出し，連結中間申告税額を納付しなければならない（法81の19，81の26）。

② 連結確定申告

連結親法人は，連結納税義務者として，連結事業年度終了日の翌日から2カ月以内に，税務署長に対し「連結確定申告書」を提出しなければならない（法81の22①）。なお，提出期限の2カ月延長が認められている（法81の23，24）。

連結親法人は，連結確定申告書提出期限までに連結法人税額を納付しなければならない（法81の27）。

連結確定申告書には，次の「添付書類」が必要である（法81の22②）。

▶連結親法人および連結子法人の下記の書類
▶連結事業年度の貸借対照表・損益計算書
▶連結法人税の個別帰属額計算に関する書類，その他

　連結納税においては，連結親法人が連結納税義務者となるとともに，連結子法人も連帯納付責任を負う（法4の2, 81の28）。

③　連結法人税の個別帰属額

　連結法人税額は，最終的に各連結法人によって負担される。そのため，連結法人税額について，各連結法人の個別帰属額がそれぞれの所得金額および欠損金額に基づいて，計算される（法81の18）。

　連結法人税の個別帰属額に関する会計処理については，その金額につき，連結親法人と連結子法人の間で未収金・未払金が計上される。

（例1）　連結所得金額・連結法人税額・個別帰属額
　　連結親法人P社は，法人税につき，連結確定申告書を提出した。下記の資料に基づき，連結所得金額，連結法人税額（税率23.4%），連結法人税額の個別帰属額を，計算しなさい。なお，連結所得金額の計算に関する連結税額調整金額がなく，連結中間納付額もないものとする（△はマイナスを示す）。
　　　　連結親法人P　個別所得金額　　　8,000万円
　　　　連結子法人A　個別所得金額　　　4,000万円
　　　　連結子法人B　個別欠損金額　△2,000万円
　　　　　連結所得金額　　　　　　　　　1億円

《連結法人税額》
　1億円×23.4%＝2,340万円　　連結親法人の納税義務
《連結法人税個別帰属額》
　連結親法人P社　　8,000万円×23.4%＝　1,872万円（連結法人税の負担要支出額）
　連結子法人A社　　4,000万円×23.4%＝　　936万円（連結法人税の負担要支出額）
　連結子法人B社△2,000万円×23.4%＝△468万円（連結法人税の減少要収入額）
　　　　　　　　　10,000万円　　　　　2,340万円

　例1において，連結親法人P社は，連結法人税額2,340万円につき連結納税義務を負う。連結子法人A社は連結法人税の負担要支出額936万円を連結親法人に支払うべき負債が生じる。連結子法人B社は連結法人税の減少要収入額468万円を連結親法人より受け取るべき債権が生じる。連結親法人P社の負担分は

1,872万円（連結法人税額2,340万円－子法人A社より要受入額936万円＋子法人B社への要支出額468万円）となる。

7 連結納税制度を適用している場合の地方法人税

平成26年10月1日以後開始事業年度から地方法人税（国税）が創設された。連結納税制度を適用している場合，地方法人税の課税標準である基準法人税額は，連結事業年度の連結所得の金額から計算した法人税の額とするとされている（地方法人税法6, 10）。その算式は，次の通りである。

連結所得の金額に対する法人税額（基準法人税額）×4.4％＝地方法人税額
　（注）　連結法人税申告書別表一の二（一）は，連結法人税と連結納税適用における地方法人税が同一の申告書で行える様式になっている。

連結法人の地方法人税について個別帰属額の計算が行われる（地方法人税法15）。

8 地方税における個別納税計算

法人税に連結納税が適用される場合でも，地方税は個別納税が用いられる。地方税の住民税および事業税は，原則として，国税である法人税の税額および所得金額を課税標準としているため，連結納税ベースの法人税額および所得金額を個別納税ベースに調整する必要がある。

《税務計画メモ》

連結納税制度において，親・子法人の個別所得と個別欠損金が合算・相殺されてグループ全体の連結所得金額が算定され，実質的な所得課税が行われる。他方，親法人が大法人の場合，連結子法人に対し，中小法人の軽減税率，交際費課税の控除が，適用されないことになる。連結納税制度の適用にあたっては，その要件と効果につき，事前の検討が必要である。

第3節　グループ法人税制

　企業グループを対象とする法制度・会計制度が定着し，税制においても組織再編税制，連結納税制度の導入・整備が進められてきた。さらに，企業集団化が進む中，課税の中立性・公平性等を確保する必要性が高まってきた。このため，平成22年度税制改正において，グループ法人税制―資本に関する取引等に係る税制の見直し―が取り上げられた。その主要項目の要点は，次のとおりである。

①　完全支配関係がある法人（内国法人）間の資産の譲渡取引

　完全支配関係がある（100％グループ内）内国法人間の資産の譲渡損益は繰り延べられる。すなわち，グループ内で取引された譲渡損益調整資産に係る譲渡利益額を，損金の額に算入することにより課税を繰り延べる（譲渡損失額に相当する金額については，益金の額に算入することにより，譲渡損失を繰り延べる）（法61の13）。要するに，100％グループ内の資産譲渡取引時において課税が行われず，繰延譲渡損益は，将来のグループ外譲渡時等に課税されることになる。

②　完全支配関係がある法人間（内国法人）の寄附

　100％グループ内の寄附金支出法人の寄附金は全額損金不算入とするとともに，寄附金受取法人の受増益についてはその全額を益金不算入とされる（法25の2，37，81の6）。この結果，グループ内での租税負担は，実質的にないことになる。

③　完全支配関係（100％グループ内）法人からの受取配当金（負債利子控除）

　完全子法人からの受取配当等の額については，負債の利子を控除せず，その全額を益金不算入とする（法23①④⑤，81の4）。

　　　（注）　グループ法人税制には，上記のほか，次のものがある。
　　　　　▶100％グループ内の法人間の現物分配（法2の十二の十五，62の5）
　　　　　▶100％グループ内の法人の株式の発行法人への譲渡に係る損益（法61の2⑯）
　　　　　▶大法人（資本金5億円以上）の100％子法人等に対してする中小企業向け特例措置（軽減税率，交際費等の定額控除，欠損金の繰戻しによる還付，その他）の不適用（措法42の3の2，61の4，66の13）　その他

第20章
消費税の仕組みと経理処理

　消費税は，消費に広く，薄く税負担を求めて，昭和63年12月の税制改革において導入された。消費税は，事業者による商品の販売，役務の提供等の各段階において課税するとともに，前段階税額控除を行うことによって，課税の累積を排除する方式をとっている。最終的には消費者が消費税を負担するのであるが，取引の各段階において事業者が納税を行うため，重要な企業税務となっている。

　消費税率は，創設当時3%，平成9年度に5%（消費税4%，地方消費税1%）となり，平成26年4月1日から8%（消費税6.3%，地方消費税1.7%）と改正された。

1　消費税の仕組み

①　消費税の課税の仕組み

　消費税（地方消費税を含む）の課税の仕組みは，事業者による財貨販売，サービス提供の各段階の売上げに対して課税を行い，各事業者がその税額を財貨・サービスの価格に上乗せすることにより，最終的には消費者に負担を求めるという方式である。それは，累積排除型多段階取引課税を意味し，消費税の円滑かつ適正な転嫁が行われることを前提としている。具体的には，販売に際し商品本体価格に消費税額（課税標準額に対する消費税額）を上乗せ，仕入に際して支払った消費税額を控除（課税仕入れ等に係る税額の控除）して，その差引額を消費税納付額として，事業者が納税を行う。

　（例1）　平成26年4月1日以降の消費税率8%に引き上げ後，メーカーAは，卸売業者Bに商品1,000円を販売し，消費税（地方消費税を含む）80円を加えて

1,080円を受け取った。メーカーAは課税売上の消費税80円を納付する。

卸売業者Bは，その商品を小売業者Cに1,500円にて販売し，消費税120円を加えて，1,620円を受け取った。卸売業者Bは，課税売上の消費税額120円から課税仕入等税額80円を差し引いて，消費税40円を納付する。

小売業者Cは，その商品を消費者に2,200円にて販売し，消費税176円を加えて2,376円を受け取った。課税売上の消費税額176円から課税仕入等税額120円を差し引いて，56円を消費税として納付する。

消費者は，商品本体価格2,200円の8%，176円を消費税として負担することになる。

この関係を図示すれば，次のとおりである。

② 課税の対象，非課税，免税取引

消費税は，国内において事業者が事業として対価を得て行う資産の譲渡等（資産の貸付けおよび役務の提供を含む）と保税地域から引き取られた外国貨物を課税の対象とする（消法4）。

消費税が非課税となる取引の例には，土地の譲渡・貸付け，有価証券の譲渡，社会保険医療等，社会福祉事業等，学校教育法第1条等に定める学校の授業料・入学検定料・入学金・施設設備費，住宅の貸付け等がある（消法6）。

輸出取引については，消費税は免税とされる（消法7）。

③ 納税義務者，小規模事業者の納税義務の免除

事業者は，課税資産の譲渡等について，納税義務者となる。（消法5）。

小規模事業者については，納税事務を軽減するため，納税義務の免除が定められている。その課税期間の基準期間（前々事業年度）における課税売上高が1千万円以下の事業者については，その課税期間中に行った課税資産の譲渡等につき納税義務が免除される（消法9）。

④ 課税標準，税率，税額控除

消費税の課税標準は，課税資産の譲渡等の対価（課税売上等）である（消法

26)。

　消費税および地方消費税を合計した実質税率は 8% であるが，それぞれの税率は，次のように定められている（消法 29，地法 72 の 83）。

　　　消費税の税率　6.3%
　　　地方消費税の税率　消費税額に対し $\frac{17}{63}$（実質 1.7%）

　課税標準（売上高等）に税率を乗じた額が，課税期間中の課税標準額に対する消費税額（課税売上等消費税額）である（消法 39）。課税仕入に係る支払対価についても，課税仕入に係る消費税額が課せられる（消法 32）。

　事業者は，課税期間中の課税標準額に対する消費税額（課税売上等消費税額）から課税仕入に係る消費税額（課税仕入れ等の税額）を控除して，納付額を算出する（消法 30 ①）。

　　課税標準額（課税売上等）に対する消費税額 − 課税仕入等税額控除 = 納付消費税額

　課税仕入等税額控除の適用を受けるためには，課税仕入等の内容を帳簿に記録することが必要である。さらに，その帳簿および請求書，納品書等を保存することが要件とされる（消法 30 ⑦）。

⑤　簡易課税制度（中小事業者の仕入れに係る税額の控除の特例）

　中小事業者の納税事務を簡素化するため，課税期間の基準期間における課税売上高が 5 千万円以下の事業者は，課税仕入等税額控除につき簡易課税制度を選択できる。それは，課税標準額（課税売上高等）に対する消費税額の一定割合（みなし仕入率）を課税仕入等の税額とするものである（消法 37）。

　簡易課税におけるみなし仕入率は，次のとおりである（消法 37，消令 57）。

第 1 種事業（卸売業）	90%
第 2 種事業（小売業）	80%
第 3 種事業（製造業，建設業等）	70%
第 4 種事業（その他の事業—飲食サービス業等—）	60%
第 5 種事業（不動産業，運輸業，サービス業）	50%

　簡易課税における消費税納付額の計算は，次のとおりである。

　　　課税売上等 × 6.3% = 課税売上等消費税額
　　　課税売上等消費税額 × みなし仕入率 = 課税仕入等税額控除
　　　課税売上等消費税額 − 課税仕入等税額控除 = 消費税額

消費税額 × $\dfrac{17}{63}$ = 地方消費税額
消費税額 + 地方消費税額 = 納付税額合計

(例2)　A製造会社（中小事業者）の課税売上高は4千万円であり，簡易課税制度を選択している。消費税の納付税額を計算しなさい。
　〈答〉
　　A　製造会社
　　　40,000,000円 × 6.3% = 2,520,000円　課税売上等消費税額
　　　2,520,000円 × 70% = 1,764,000円　課税仕入等税額控除
　　　2,520,000円 − 1,764,000円 = 756,000円　消費税額①
　　　756,000円 × $\dfrac{17}{63}$ = 204,000円　地方消費税額②
　　　756,000円 + 204,000円 = 960,000円　納付税額合計（①＋②）
　　　〈参考〉　実質（消費税＋地方消費税）8% の検算
　　　　40,000,000円 × 8% = 3,200,000円　課税売上等消費税額・地方消費税額
　　　　3,200,000円 × 70% = 2,240,000円　課税仕入等税額控除
　　　　3,200,000円 − 2,240,000円 = 960,000円　消費税額・地方消費税額納付額

⑥　課税期間，中間申告，確定申告
〈課税期間〉
法人については，その事業年度が消費税の課税期間となる（消法19①二）。
〈中間申告〉
　前年度年間消費税額が48万円超の事業者については，直前課税期間の確定消費税額を基礎として中間申告・納付が必要である。前年度税額に応じて3種類（1カ月・3カ月・6カ月）の中間申告対象期間が定められており，各中間申告対象期間の末日の翌日から，2カ月以内に申告・納付しなければならない（消法42①④⑥，48）。
〈確定申告〉
　事業者は，課税期間ごとに，その課税期間の末日の翌日から2カ月以内に，消費税と地方消費税とを1枚の様式にまとめた確定申告書を税務署長に提出するとともに，納税を行う（消法45，49，地法附則9の5，6）。
　事業者は，資産の譲渡等（売上），課税仕入等に関する事項を帳簿に記録し，かつ，その帳簿を保存しなければならない（消法58）。

⑦ 総額表示義務

事業者は，不特定多数の者に課税資産の譲渡等を行う場合において，あらかじめ課税資産に係る資産・役務の価格を表示するときは，消費税額および地方消費税額を含めた価格を表示しなければならない（消法63の2）。

消費税（地方消費税も含む）に関する価格表示方法には，次の2つがある。

Ⅰ．税抜き価格：消費税抜き価格（本体価格）と消費税額を併記する。
Ⅱ．税込み価格：消費税込み価格を表示する。

2　消費税の経理処理

消費税（地方消費税も含む）に関する事業者の経理方式には，税抜き経理方式と税込み経理方式がある。消費税額および地方消費税額を合わせて「消費税等」を勘定科目に用いる。税抜き経理方式は，課税売上等に対する消費税額を「仮受消費税等」，課税仕入等に対する消費税額を「仮払消費税等」として，本体価格と消費税とを区分する経理方式である（規28②）。この場合には，原則として，仮受消費税等から仮払消費税等を差し引いた金額が納付税額となる。税込み経理方式は，消費税込みの価格で売上および仕入に計上し，納付消費税を損金に処理するものである。

（例3） 当社における当期の消費税（地方消費税を含む）の課税取引は，商品仕入高10億円（消費税8,000万円），事務用品購入代金1,000万円（消費税80万円），商品売上高12億円（消費税9,600万円）である。代金の決済は，すべて現金預金で行っている。消費税および地方消費税の実質税率は8%である。税抜き方式による消費税の経理を示しなさい。

〈仕　訳〉

A　商品購入
(借) 仕　　　　　入　1,000,000,000　(貸) 現 金 預 金　1,080,000,000
　　　仮払消費税等　　　80,000,000

B　事務用品購入
(借) 事 務 用 品 費　　10,000,000　(貸) 現 金 預 金　　10,800,000
　　　仮払消費税等　　　　 800,000

C　商品販売
(借) 現 金 預 金　1,296,000,000　(貸) 売　　　　　上　1,200,000,000
　　　　　　　　　　　　　　　　　　　仮受消費税等　　 96,000,000

D　課税期間末
　　　（借）　仮受消費税等　　96,000,000　　（貸）　仮払消費税等　　80,800,000
　　　　　　　　　　　　　　　　　　　　　　　　　未払消費税等　　15,200,000
　　E　納　　付
　　　（借）　未払消費税等　　15,200,000　　（貸）　現　金　預　金　　15,200,000

(例4)　例3において，税込み方式による消費税の経理方式を示しなさい。
〈仕　訳〉
　　A　商品購入
　　　（借）　仕　　　　入　1,080,000,000　（貸）　現　金　預　金　1,080,000,000
　　B　事務用品購入
　　　（借）　事 務 用 品 費　　10,800,000　　（貸）　現　金　預　金　　10,800,000
　　C　商品販売
　　　（借）　現　金　預　金　1,296,000,000　（貸）　売　　　　　上　1,296,000,000
　　D　課税期間末
　　　（借）　消　費　税　等　　15,200,000　　（貸）　未払消費税等　　15,200,000
　　E　納　　付
　　　（借）　未払消費税等　　15,200,000　　（貸）　現　金　預　金　　15,200,000

【附記：消費税増税に関する動向】

Ⅰ　「平成24年8月　社会保障の安定財源の確保等を図る税制の抜本的な改革を行うための消費税法等の一部を改正する等の法律案」第3条
　　消費税率を6.3％から7.8％（地方消費税2.2％と合わせて10％）に引上げる改正を平成27年10月1日施行とする。
　http://www.mof.go.jp/about_mof/bills/180diet/sh20120330g.htm
Ⅱ　「平成27年度税制改正の大綱」　四　消費課税
1　消費税率（国・地方）の10％への引上げ時期の変更等
⑴　①消費税率（国・地方）の10％への引上げの施行日を平成29年4月1日とする。
　http://www.mof.go.jp/tax_policy/tax_reform/outline/fy2015/27taikou_04.htm#04_01
Ⅲ　「平成28年度税制改正の大綱」　四　消費課税
1　⑴　消費税の軽減税率制度
　　　消費税の軽減税率制度を，平成29年4月1日から導入する。
　　⑵　軽減税率対象品目及び税率
　　「軽減対象課税資産の譲渡等」飲食料品の譲渡，週2回以上発行される新聞の譲渡
　　「軽減税率」6.24％（地方消費税と合わせて8％）

http://www.mof.go.jp/tax_policy/tax_reform/outline/fy2016/28taikou_04.htm#04_01

Ⅳ 「平成 28 年 8 月 24 日閣議決定　消費税率引上げ時期の変更に伴う税制上の措置」
1・・・消費税率の 10% への引上げ時期を平成 31 年 10 月 1 日に変更する・・・
2・・・消費税の軽減税率制度の導入時期を平成 31 年 10 月 1 日とする。
http://www.mof.go.jp/tax_policy/tax_reform/outline/fy2016/280824shouhizei.pdf

練 習 問 題

第1章
1　課税所得論の内容を簡単に説明しなさい。
2　法人税に関連する主要法令6項目を示しなさい。

第2章
1　法人税法における法人の種類と税務上の取扱いを述べなさい。
2　次の法人につき，税法上の種類を示しなさい。
　(1)　日本放送協会，(2)　株式会社　東神テレビ，(3)　東西信用金庫，(4)　宗教法人　南北神社
3　次の用語の意味を説明しなさい。
　(1)　実質所得者課税の原則，(2)　事業年度，(3)　納税地
4　同族会社の意義を説明しなさい。
5　京神株式会社の持株構成は次のとおりである。同社が同族会社であるか否かを判定しなさい。

株　主	株式数
A	200株
B（Aの妻）	80
C（Aの次男）	70
D（Aの長女）	50
E	150
F（Eの父）	90
G（Eの兄）	60
H	110
I	100
J	90

6　非同族の同族会社を説明しなさい。
7　青色申告の意義と特典を述べなさい。

第3章
1　各事業年度の所得金額の算式を示しなさい。
2　「益金の額」，「損金の額」の意味を説明しなさい。
3　財務諸表における決算利益と法人税法上の所得金額の関係を述べなさい。
4　次の用語を説明しなさい。
　(1)　資本等取引，(2)　一般に公正妥当と認められる会計処理基準，(3)　確定決算，

(4) 損金不算入, (5) 益金不算入, (6) 損金経理, (7) 申告調整

5 A社は，その所有する土地（取得価額200万円，時価1,000万円）および建物（帳簿価額300万円，時価400万円）を，B社に，無償で譲渡した。税法の取扱いに合わせて，A社とB社における仕訳を示しなさい。

6 次の資料に基づき，(1)と(2)の所得金額を計算しなさい。

(1) 　　　損　益　計　算　書
　　収　　益　　　2,000万円
　　費　　用　　　1,400万円
　　当期純利益　　　600万円
　　(注) 益金不算入の収益が200万円，損金不算入費用が300万円ある。

(2) 当期の損益計算書における収益は3,000万円，費用は1,800万円である。
　　申告調整項目には次のものがある。
　　(イ) 費用であるが，税法上損金にならない金額　　　　　　　450万円
　　(ロ) 費用に計上していないが，税法上損金に算入される金額　100万円
　　(ハ) 収益であるが，税法上益金に算入されない金額　　　　　200万円
　　(ニ) 収益に計上していないが，税法上益金に算入される金額　50万円

第4章

1 棚卸資産の販売による，収益計上の時期について述べなさい。

2 甲製造株式会社は，乙商事株式会社へ，委託商品（原価1,400,000円）を4月20日に発送した。乙商事株式会社より，4月29日に商品を売価1,700,000円で売却した旨の売上計算書が，5月3日に到着した。甲製造株式会社の決算日は4月30日である。原則的方法と売上計算書その都度作成・継続適用の場合における，売上計上日を示しなさい。

3 兵庫株式会社は長期割賦販売につき延払基準の方法によっている。当期長期割賦売上高3,000,000円に対し，売上原価は1,800,000円，販売手数料150,000円である。当期回収高（支払期日到来額に一致している）は500,000円である。
(1) 当期における実現損益額を示しなさい。
(2) 期末未実現損益額を示しなさい。

4 関西建設工業株式会社の長期請負工事（請負高30,000,000円）の進行状況は，次のとおりである。これについて，工事進行基準と完成基準によって，各年度（決算期4月末）の工事利益を示しなさい。
(1) 平成X6年3月1日着工
(2) 平成X6年4月30日までの発生工事原価2,520,000円（この時の予想工事総原価21,000,000円）
(3) 平成X7年4月30日までの発生工事原価累積高16,380,000円（この時の予想工事総原価23,400,000円）
(4) 平成X8年2月28日（完成日）までの発生工事総原価23,700,000円

5(1) 奈良株式会社は，得意先大和株式会社に対して，売上高（当期25,000,000円）の

2％の割戻しを，売掛金より控除する方法で行うことになっている。両社の決算期は3月31日であり，割戻しの通知は，4月20日に行われている。割戻しの算定基準は大和株式会社に明示されている。税務上の原則的な取扱いに基づいて，両社の割戻しの計上日とその仕訳を示しなさい。

(2) 上記において，割戻しの算定基準が大和株式会社に明示されていない（割戻しの通知は4月20日に行われている）場合の，両社における原則的な取扱いを説明しなさい。

第5章

1 売上原価の算式を示しなさい。
2 棚卸資産の種類を述べなさい。
3 法人税法における，棚卸資産の評価方法を列挙しなさい。
4 下記の商品の期末棚卸評価額と売上原価を，(イ)先入先出法，(ロ)総平均法，(ハ)移動平均法，(ニ)最終仕入原価法によって，計算しなさい。なお，決算期は12月31日である。

(月日)	(摘要)	(増	加)	(減少)	(残高)
1／1	前期繰越	200個	＠200円	40,000円	200個
3／3	仕　入	200	＠220	44,000	400
5／5	販　売			200個	200
7／7	仕　入	300	＠240	72,000	500
11／10	販　売			200	300
12／10	仕　入	100	＠260	26,000	400

5 次の資料により，売価還元法による評価額と売上原価を示しなさい。

　　　期首商品原価　　　　　1,500,000円
　　　当期仕入高　　　　　　9,000,000円
　　　当期売上高　　　　　 13,000,000円
　　　期末商品売価評価高　　2,000,000円

6 A社は，移動平均法に基づく低価法を採用している。第4期末の商品棚卸数量は200個であり，原価法（移動平均法）による評価額は，＠（1個当たり）200円であり，時価による評価額は＠180円である。期末商品評価額を示しなさい。

7 甲社は毎年1月1日から12月31日までを事業年度とする法人である。
(1) 甲社は平成X2年1月1日に設立された。第1事業年度は平成X2年1月1日から同年12月31日までの期間である。棚卸資産の評価方法として，先入先出法を選定する予定である。税務署長への届出期日を示しなさい。
(2) 上記において，甲社が評価方法を選定しなかった場合，棚卸資産の評価方法はどうなりますか。
(3) 甲社が，平成X4年度より，評価方法を総平均法に変更することを予定している場合，変更申請書の提出期限を示しなさい。

8 次の資料により，棚卸資産の取得価額を示しなさい。なお，取得価額に算入しなく

てもよい項目については，取得価額より除外すること。
(1) 購入代価　　　　　500,000 円
　　引取運賃　　　　　 30,000 円
　　買入事務費　　　　 5,000 円
　　関　税　　　　　　 25,000 円
(2) 原材料費　　　　　　　　　　350,000 円
　　労務費
　　　通常の労務費　　　　　　　230,000 円
　　経　費
　　　通常の製造経費　　　　　　150,000 円
　　　長期保管費用　　　　　　　 10,000 円
　　　工場より販売所への移管費用 15,000 円

第6章

1　法人税法における，固定資産，減価償却資産を説明しなさい。
2　次の資産（使用可能期間1年以上）を現金にて購入した場合の仕訳を行いなさい。なお，認められるものについては，当期の損金とすること。
　　テレビ1台　85,000 円，事務机1脚　100,000 円
　　二輪自動車1台　250,000 円
3　次の資料により，減価償却資産の取得価額を示しなさい。なお，取得価額に算入しなくてもよい項目については，取得価額より除外すること。
(1) 購入機械代価　　　　1,000,000 円
　　引取運賃　　　　　　 200,000 円
　　割賦購入利息部分　　 100,000 円
　　工場での据付費　　　 80,000 円
(2) 工場を自己建設の場合
　　原材料費　　　　　　4,000,000 円
　　労務費　　　　　　　2,500,000 円
　　経　費　　　　　　　1,000,000 円
　　建築資金の借入利子　 800,000 円
　　不動産取得税　　　　 300,000 円
(3) 土地購入代価　　　　5,000,000 円
　　土地取得に際して支払った
　　立退料　　　　　　　2,000,000 円
4　中古建物（木造店舗）を3,000,000円で購入した。法定耐用年数24年，経過年数は10年である。中古資産の見積耐用年数を計算しなさい。
5　当社は，当期（自4月1日至3月31日事業年度）の4月1日において，乗用自動車を1,000,000円で購入した。乗用自動車の耐用年数は6年である。
(1) 乗用自動車が平成19年3月31日以前に取得された場合における償却限度額（減

価償却費損金経理額と償却限度額は一致しているものとする）を，旧定額法（償却率0.166）および旧定率法（償却率0.319）で示しなさい。
(2) 乗用自動車が平成24年4月1日以後に取得された場合における当期および翌期の償却限度額（減価償却費損金経理額と償却限度額は一致しているものとする）を，定額法（償却率0.167）および定率法（償却率0.333，保証率0.09911）で示しなさい。

6 次の資料に基づき，生産高比例法による償却限度額を示しなさい。
金属鉱業用設備（平成19年4月1日以後取得）　　　9,000,000円
上記資産の耐用年数（9年）
の期間内における採掘予定量　　　　　　　　　　600,000トン
当期実際採掘量　　　　　　　　　　　　　　　　72,000トン

7 当期（自7月1日至6月30日事業年度）の期首（7月1日）に，特許権2,000,000円を現金で取得した。特許権の耐用年数は8年であり，定額法の償却率は0.125である。償却限度額どおり損金経理（仕訳）しなさい。

8 事務所用建物（鉄筋コンクリート造）43,000,000円を当期（自4月1日至3月31日事業年度）の期首（4月1日）に取得（平成19年4月1日以後取得分）した。耐用年数は50年であり，定額法を採用し，償却率は0.020である。当期の償却限度額どおり損金経理を行いなさい。

9 8において，次の金額を損金経理した場合，償却限度額との差額を何と呼びますか。
(イ) 損金経理額　　900,000円
(ロ) 〃　　　　　　600,000円

10 京神株式会社は，取得価額2,000,000円のダンプカーを，当期（事業年度1年）の期首において購入（平成24年4月1日以後取得分）した。同社は，定率法を選定している。ダンプカーの耐用年数は4年，定率法の償却率は0.500である。
同社の損益計算書は，次のとおりである。なお，減価償却費以外の申告調整項目はないものとする。
収　益　　　　　　　　　　　　　34,500,000円
費　用
　減価償却費（損金経理額）　　　　1,400,000円
　その他の費用　　　　　　　　　24,600,000円
当期純利益　　　　　　　　　　　 8,500,000円
(1) 当期の償却限度額，償却超過額または償却不足額，当期所得金額を計算しなさい。
(2) 翌期における償却限度額を示しなさい。
　　（注）1・2年目は「調整前償却額＞償却保証額」であるため，償却保証率の表示は省略している。

11 10において，同社の損益計算書における減価償却費の損金経理額が800,000円，当期純利益が9,100,000円とした場合，次の金額を示しなさい。
(1) 当期の償却限度額，償却超過額または償却不足額，当期所得金額

(2) 翌期における償却限度額
12 当期（10月1日〜9月30日）に，次の備品を取得（平成24年4月1日以後取得分）した。定額法および定率法により，償却限度額を計算しなさい。
　12月10日　事務用金属性キャビネット（耐用年数15年）　300,000円
　4月20日　電気冷蔵庫　　　　　　　　（　〃　　6年）　400,000円
　7月31日　テレビ　　　　　　　　　　（　〃　　5年）　250,000円

　耐用年数15年　償却率　定額法　0.067　定率法　0.133
　　〃　　6年　　　〃　　　　　　0.167　　〃　　0.333
　　〃　　5年　　　〃　　　　　　0.200　　〃　　0.400
　（注）　1年目は「調整前償却額＞償却保証額」であるため，償却保証率の表示は省略している。

13 次の項目を説明しなさい。
　(1) 残存簿価　(2) 法定耐用年数　(3) 取替法　(4) 償却限度額と損金経理額　(5) 償却超過　(6) 償却不足　(7) 償却方法の変更
14 資本的支出と修繕費の区分に関する基本的な考え方を説明しなさい。
15 法人甲は，当期に倉庫を改修し，3,000,000円を現金にて支出した。この倉庫は新築後9年を経過し，通常の管理を続けていれば，現在では残存使用年数が6年，価額は4,000,000円であろうと予測されていた。支出後に予測される，残存使用年数は15年，価額は5,500,000円であった。
　資本的支出と修繕費を区分して，仕訳を示しなさい。
16 次の場合において，税務の取扱いに基づいて，仕訳を示しなさい。
　(1) 建物につき補修を行い，現金95,000円を支払った。
　(2) 工場建物の避難階段の取付けを行い，現金1,000,000円を支出した。

第7章

1 特別償却が課税の繰延べであるといわれる意味を説明しなさい。
2 滋賀株式会社（青色申告法人）は，当期首にエネルギー環境負荷低減推進設備を800万円で取得し，事業に供用した。特別償却割合は取得価額の100分の30である。特別償却限度額どおり損金経理を示しなさい。
3 青色申告法人である山崎株式会社（中小企業者等）は，指定期間である当期首（事業年度1年）に，公害防止設備7,000,000円（耐用年数10年）を取得し，事業に供用した。特別償却割合は，取得価額の100分の8である。
　(1) 当期における特別償却費を，特別償却限度どおり，損金経理により特別償却準備金に積み立てる仕訳を示しなさい。
　(2) 翌期における特別償却準備金の益金算入額を，仕訳で示しなさい。
4 (1) 3の計算例において，当期の特別償却限度額どおり剰余金の処分による特別償却準備金を積み立てる仕訳を示しなさい。
　(2) 翌期において特別償却準備金を繰越利益剰余金に振り戻す仕訳を示しなさい。
　(3) (1), (2)の申告調整の内容を述べなさい。
5 甲社は障害者を雇用する場合の機械等の割増償却を適用しており，当期首に，障害

者使用機械等1千5百万円を取得した。償却方法は定額法，耐用年数は10年，償却率0.100であり，割増償却率は24％である。当期（事業年度1年）における償却限度額を示しなさい。
6　特別償却不足額の1年間の繰越しを説明しなさい。

第8章
《第1節》
1　使用人給与等（給料，賞与，退職給与）の税務上の取扱いを述べなさい。
2　役員給与の損金算入を，「定期同額給与」「事前確定届出給与」「利益連動給与」の用語を含めて，説明しなさい。
3　損金に算入されない役員給与を説明しなさい。
4　次の資料により，所得金額を計算しなさい。なお，役員給与以外の申告調整項目はない。

損　益　計　算　書	（単位：円）
収　　益	18,000,000
費　　用	
役員給与	7,000,000
その他の費用	6,000,000
当期純利益	5,000,000

　　（注）　上記の役員給与のうち過大役員給与は1,500,000円である。

5　法人税法上の役員を説明しなさい。
6　使用人兼務役員の使用人分賞与の損金算入を説明しなさい。
7　経済的利益の供与の意味を説明しなさい。
8　次の各項目につき，役員給与に含められる金額を計算しなさい。
　(1)　甲株式会社は，社長Aの個人的債務1,000,000円を無償で引き受けた。
　(2)　甲株式会社（事業年度1年）は，専務取締役乙に，毎月50,000円の渡切交際費を支給した。
　(3)　甲株式会社は，常務取締役丙所有の土地（時価3,000,000円）を5,000,000円で買い入れ，買入価額どおり資産に計上した。
9　役員退職給与の税務上の取扱いを述べなさい。
10　(1)　役員大久保次郎の退職につき，退職給与10,000,000円の支給が株主総会で確定し，ただちに，現金にて支給した。この仕訳を示しなさい。
　(2)　上記役員退職給与のうち，役員の業務従事期間等に照らして，2,000,000円が過大退職給与と認められた場合，税務上の取扱いを述べなさい。
　(3)　第10期中の2月28日に開催された株式総会で確定した役員退職給与5,000,000円を，第11期中の3月5日に，現金で支出した場合，損金算入の事業年度を述べなさい。

《第2節》
1 税法上の寄附金の意義と範囲を説明しなさい。
2 一般の寄附金の損金算入限度額の算式を示しなさい。
3 指定寄附金等を説明しなさい。
4 特定公益増進法人に対する寄附金を説明しなさい。
5 次の取引を，税務上の取扱いに基づいて，仕訳しなさい。
 (1) 現金500,000円を，A社会福祉法人に寄附を行った。
 (2) 親会社Aは，その所有する土地（時価10,000,000円，帳簿価額2,500,000円）を，子会社Bに現金2,500,000円にて譲渡した。
6 次の資料に基づき，本州株式会社（自平成X1年4月1日至平成X2年3月31日事業年度）の寄付金の損金算入額と，課税される所得金額を示しなさい。なお，寄付金以外の申告調整項目はない。
 (1) 期末資本金等の額　　　　　　　　　20,000,000円
 (2) 所得金額（寄付金控除後）　　　　　 5,500,000円
 (3) 損金経理の寄付金　　　　　　　　　　 500,000円
 （同上の内訳）
 　イ　一般の寄付金　　　　　　　　　　160,000円
 　ロ　指定寄付金　　　　　　　　　　　 80,000円
 　ハ　特定公益増進法人に対する寄付金　 260,000円

《第3節》
1 交際費等の損金不算入の概要を述べなさい。
2 A株式会社（事業年度1年）の期末資本金は1億7千万円であり，当期支出交際費等は7,000,000円（このうち接待飲食費の額は600,000円）である。交際費等の損金不算入額を計算しなさい。
3 B株式会社（事業年度1年）は，期末資本金2千万円であり，当期支出交際費等は9,000,000円である。交際費等の損金不算入額を計算しなさい。
4 C株式会社（事業年度1年）は，期末資本金が500万円であり，当期支出交際費等（損金経理額）は8,400,000円である。なお，損益計算書における「当期純利益」は7,500,000円であり，交際費等以外の申告調整項目はない。交際費等の損金不算入額と所得金額を計算しなさい。
5 次の項目のうち，交際費等に含まれるものを，番号で示しなさい。
 (1) 得意先を旅行に招待する費用
 (2) もっぱら従業員慰安のために行われる旅行
 (3) 会社創立50周年記念宴会費
 (4) 製造業者が，抽せんにより，一般消費者を観劇に招待する費用
 (5) カレンダーを贈与するために通常要する費用
 (6) 仕入先に対する香典
 (7) 一般の工場見学者に製品を試飲させる費用

(8) 工場新築記念品代
(9) 会議用茶菓，弁当代

《第4節》
1 損金不算入の租税公課を列挙しなさい。
2 損金算入の租税公課を列挙しなさい。
3 延滞税を説明しなさい。
4 加算税の4項目を説明しなさい。
5 利子税を説明しなさい。
6 次の資料に基づき，損金不算入の租税公課と所得金額を示しなさい。なお，租税公課以外に申告調整項目はない。

損 益 計 算 書　　（単位：円）

収　　益	6,941,000
費　　用	
租税公課	1,441,000
その他の費用	2,500,000
当期純利益	3,000,000

《損金経理された租税公課の内訳》

法人税および地方法人税	1,000,000 円	自動車税	21,000 円
事業税等	200,000 円	罰　金	12,000 円
県民税	60,000 円	法人税無申告加算税	30,000 円
市民税	80,000 円	収入印紙	20,000 円
所得税	10,000 円	不納付加算税	8,000 円

　　（注）　事業税等の内容は，事業税および地方法人特別税である。以下同じ。

7 次の資料に基づき所得金額を計算しなさい。

損 益 計 算 書　　（単位：円）
自平成×年1月1日　至平成×年12月31日

売　　上	23,000,000
売上原価	15,530,000
売上総利益	7,470,000
販売費・一般管理費	4,320,000
税引前当期純利益	3,150,000
法人税等	1,660,000
当期純利益	1,490,000

　　（注）1　法人税等の内訳は，次のとおりである。

当期中間申告法人税および地方法人税（8月31日納付）	420,000 円
当期中間申告府民税・市民税（8月31日納付）	70,000 円
当期中間申告事業税等　（8月31日納付）	60,000 円
期末法人税等未払計上額	1,110,000 円

2 当期中納税充当金より支出した租税公課は，次のとおりである。
　　前期確定申告法人税および地方法人税（2月28日納付）　　　630,000円
　　前期確定申告府民税・市民税　（2月28日納付）　　　　　　110,000円
　　前期確定申告事業税等　　　　（2月28日納付）　　　　　　 90,000円
3 上記以外の申告調整項目はない。

《第5節》
1 税法において，貸倒損失として損金に算入される場合を説明しなさい。
2 一定期間取引停止後弁済がない場合等の貸倒れを説明しなさい。
3 次の取引を，税務上の取扱いに基づいて，仕訳しなさい。
　(1) 南北商会が倒産し，金融機関のあっせんによる協議契約により，当社が有する南北商会への売掛金2,000,000円のうち80%を切り捨て，残額は現金にて受け取った。
　(2) 東南商店に対する売掛金30,000円は，取立てのための費用が60,000円を要し，その支払を督促しても弁済がないため，貸倒処理をすることとした。なお，東南商店の所在地には他に債務者は存在しない。

《第6節》
1 棚卸資産につき，評価損の損金算入が認められる場合の要件を述べなさい。
2 有価証券につき，評価損の損金算入が認められる場合の要件を述べなさい。
3 固定資産につき，評価損の損金算入が認められる場合の要件を述べなさい。
4 次の取引を仕訳しなさい。
　(1) A食品販売会社は，火災により商品に著しい損傷を受けた。損傷を受けた商品の帳簿価額は3,000,000円であり，その処分可能価額（時価）は1,200,000円である。時価の評価は妥当であると認められる。
　(2) A株式会社が所有する東北株式会社（上場会社）の株式の帳簿価額は，2,200,000円である。東北株式会社の業績悪化のため，期末時価は700,000円に下落し，近い将来，その価額の回復の見込みはない。
　(3) 更正計画認可の決定により，時価による建物の評価換えを行う必要が生じ，調査の結果，帳簿価額4,000,000円に対し，時価1,800,000円と評価された。

《第7節》
1 次の取引を，税務上の取扱いに基づいて，仕訳しなさい。
　(1) X株式会社（契約者）は取締役の東西太郎を被保険者，X株式会社を受取人とする生命保険（養老保険）に加入し，保険料800,000円を現金で支払った。
　(2) Y株式会社（契約者）は使用人の南北花子を被保険者および受取人とする生命保険（養老保険）に加入し，保険料120,000円を現金で支払った。
　(3) 乙株式会社は，確定給付企業年金掛金1,800,000円を現金で支払った。
2 損害賠償金に関する税務上の取扱いを説明しなさい。

3　海外渡航費に関する税務上の取扱いを説明しなさい。

第9章

1　受取配当金の益金不算入と申告調整の概要を説明しなさい。
2　還付金の益金不算入項目と益金算入項目を説明しなさい。
3　次の資料により，所得金額を計算しなさい。なお，受取配当金・還付金以外の申告調整項目はない。

損　益　計　算　書　　　　　（単位：円）

売上原価	29,000,000	売　　上	37,100,000
一般管理費・販売費	6,400,000	受取配当金	2,000,000
支払利息	600,000	還付金	900,000
当期純利益	4,000,000		
	40,000,000		40,000,000

(注)1　受取配当金は，その他の株式等に係る受取配当金（益金不算入割合50%）である。
　　2　還付金の内訳は次のとおりである。
　　　　　法人税および地方法人税　　670,000円
　　　　　事業税等　　　　　　　　　105,000円
　　　　　市民税　　　　　　　　　　 80,000円
　　　　　府民税　　　　　　　　　　 30,000円
　　　　　還付加算金　　　　　　　　 15,000円

4　税法における，資産評価益の取扱いを説明しなさい。
5　無償による資産の譲受けの場合の，税務上の処理を説明しなさい。
6　次の取引を，税務上の取扱いに基づいて，仕訳しなさい。
　(1)　更正手続の開始決定に伴い，時価による土地の評価換えを行う必要が生じ，調査の結果，帳簿価額2,000,000円に対し，時価15,000,000円と評価された。
　(2)　B社は，A社所有の土地（時価10,000,000円）を2,500,000円にて譲り受け，現金にて支払った。
7　甲販売会社は，乙製造会社より，下記の広告宣伝用資産を無償または現金にて取得した。税務上の取扱いに基づいて，仕訳を示しなさい。

		製造会社の取得価額	販売会社の取得のための支出額
(1)	製造業者の広告宣伝用看板	300,000円	0
(2)	製造業者名を表示した広告宣伝を兼ねる自動車	1,050,000円	700,000円

第10章

1　法人税法における，有価証券の種類（範囲）を列挙しなさい。

2　法人税法における，有価証券の譲渡損益の計算を説明しなさい。
3　有価証券の原則的な取得価額を取得方法別に述べなさい。
4　売買目的有価証券の評価益・評価損の取扱いを説明しなさい。
5　次の取引を税法に基づいて仕訳しなさい。
　(1)　満期保有目的有価証券である債権を当期首に現金1,900万円で取得した。償還金額は2,000万円，償還期限は5年後である。
　(2)　当期末において，償還差益の当期配分額を計上する。
6　次の取引を税法に基づいて仕訳しなさい。
　(1)　第11期中に売買目的でA株式450万円を現金で取得した。
　(2)　第11期末におけるA株式の時価は400万円である。
　(3)　第12期首において，A株式の第11期末評価損益を洗い替える。
　(4)　第12期中にA株式を600万円で売却し，現金を受け取った。
　(5)　第12期中に売買目的でB株式700万円を現金で取得した。
　(6)　第12期末におけるB株式の時価は950万円である。
　(7)　第13期首において，B株式の第12期末評価損益を洗い替える。
　(8)　第13期中に，B株式を620万円で売却し，現金を受け取った。

第11章

1　繰延資産の意義と種類を説明しなさい。
2　繰延資産の償却限度額を説明しなさい。
3　次の取引につき，最大限に損金に算入されるように，取引日および期末における仕訳を行いなさい。
　(1)　茨木株式会社は，1月10日に，広告宣伝用資産95,000円を現金にて購入し，得意先に贈与した。なお，同社の事業年度は，毎年3月末日を決算日とする1年間である。
　(2)　同社は，増資に当たり，4月1日に，株式交付費1,000,000円を現金にて支払った。
　(3)　同社は，8月31日に，借家権利金1,800,000円を現金にて支出した。なお，借家権利金の償却期間は5年である。

第12章

1　オペレーティング・リースおよびファイナンス・リースの税法上の処理の要点を，説明しなさい。
2　店舗用備品を1年間の契約で賃借し，当月分リース料として90,000円を現金にて支払った。なお，契約は契約期間中に任意に解約できることになっている。税務上の取扱いに一致して仕訳を示しなさい。
3　当社（事業年度1年）は当期首に機械設備をリース期間6年で契約（中途解約禁止）した。本契約は所有権移転外リース取引である。リース料は月額20万円であり，リース期間定額法による当期償却限度額を示しなさい。

4 当社(事業年度1年)は当期首に機械設備(取得価額8,000,000円)を所有権移転リース取引により取得(平成24年4月1日以後取得分)した。償却法は定率法を適用しており,その耐用年数は4年,定率法の償却率は0.500である。当期償却限度額を計算しなさい。

第13章
《第1節》
1 貸倒引当金の概要を述べなさい。
2 実績繰入率の算式を示しなさい。
3 甲商事株式会社は手形交換所において取引停止処分を受けた。当社(資本金5千万円)の甲商事株式会社に対する金銭債権は,売掛金4,000,000円,受取手形1,000,000円である。個別評価する金銭債権に対する貸倒引当金の繰入限度額を示しなさい。
4 乙工業株式会社(資本金5千万円)の当期(第20期,年1回決算)における一般売掛債権は,40,000,000円である。下記の資料により,貸倒引当金の貸倒実績率および繰入限度額を計算しなさい。なお,個別評価債権に対する貸倒引当金はない。

	期末一般売掛債権等の帳簿価額	一般売掛債権等の貸倒損失
第17期	42,000,000円	470,000円
第18期	31,000,000円	710,000円
第19期	17,000,000円	530,000円

5 A機械製造株式会社(資本金4千万円)の第20期(年1回3月期末決算)の期末一般売掛債権(一括評価債権)は20,000,000円である。中小企業等の貸倒引当金の特例(法定繰入率1,000分の8)による繰入限度額および繰入限度額どおり繰り入れる仕訳を示しなさい。
6 丙社(資本金3千万円)の貸倒引当金繰入限度額(個別評価債権分および一括評価債権分合計)は,第21期2,000,000円,第22期2,300,000円である。第21期および第22期において,繰入限度額まで貸倒引当金の繰入れる仕訳を示しなさい。
7 次の資料に基づき,所得金額を計算しなさい。なお,記載した引当金以外に申告調整項目はない。

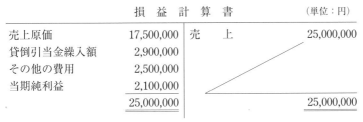

損　益　計　算　書　　　　　　　　(単位:円)

売上原価	17,500,000	売　　上	25,000,000
貸倒引当金繰入額	2,900,000		
その他の費用	2,500,000		
当期純利益	2,100,000		
	25,000,000		25,000,000

(注) 引当金の繰入限度額は,次のとおりである。
　　　　貸倒引当金繰入限度額　　　　820,000円

《第2節》
1　租税特別措置法に基づく準備金の特色を述べなさい。
2　海外投資等損失準備金の概要を説明しなさい。
3　(1)　次の資料により，北陸株式会社（青色申告法人）の当期（自平成X2年4月1日至平成X3年3月31日）における海外投資等損失準備金につき，積立限度額に一致して，損金経理による仕訳を示しなさい。
　　　北陸株式会社は，当期中に，資源開発事業法人であるA社の設立に伴う株式払込金として1,000万円を払い込んだ。資源開発事業法人の特定株式に対する海外投資等損失準備金積立割合は30%である。
　(2)　6年目における洗替えの仕訳を示しなさい。
　(3)　(1)および(2)の仕訳を，剰余金処分方式により示しなさい。
4　剰余金処分による海外投資等損失準備金積立額（積立限度額どおり）が1,000,000円，当期純利益は2,500,000円である場合における，所得金額を示しなさい。なお，海外投資等損失準備金以外の申告調整項目はない。

第14章
1　圧縮記帳を行う目的を述べなさい。
2　国庫補助金等の圧縮記帳の概要を述べなさい。
3　機械及び装置を取得するため，国庫補助金4,000,000円を受け取り，当座預金とした。ついで，機械及び装置12,000,000円を取得し，代金は小切手を振り出して支払った。なお，国庫補助金は返還不要のものである。
　(1)　国庫補助金の受入れ，機械及び装置の取得および圧縮記帳（固定資産より直接控除）の仕訳を示しなさい。
　(2)　圧縮記帳を引当金を用いて行う仕訳を示しなさい。
4　土地8,000,000円の取得につき受け入れた国庫補助金5,000,000円を，剰余金処分により圧縮記帳する場合の仕訳を示しなさい。
5　収用等に伴い代替資産を取得した場合の圧縮記帳の概要を述べなさい。
6　次の土地収用に伴う代替資産につき，(1)圧縮限度額，(2)圧縮後の帳簿価額（圧縮限度額どおり損金経理をしている）および仕訳を示しなさい。
　　(イ)　譲渡資産の帳簿価額　　　　　9,000,000円
　　(ロ)　対価補償金（現金受入れ）　　30,400,000円
　　(ハ)　譲渡経費（現金支出）　　　　　400,000円
　　(ニ)　代替資産の取得価額（現金支出）30,000,000円

第15章
1　欠損金の繰越しの概要を述べなさい。
2　欠損金の繰戻しの概要を述べなさい。
3　甲株式会社（資本金5千万円，中小企業者等）の当期所得金額（欠損金控除前）は7,000,000円である。同社の事業年度は1年であり，前期（青色申告年度）に発生し

た繰越欠損金2,000,000円がある。当期の課税対象となる所得金額を示しなさい。
4 乙株式会社（中小企業者等）の事業年度は1年であり，連続して青色申告法人である。下記の資料に基づき，欠損金の繰戻しによる法人税の還付額を示しなさい。
　　当期欠損金額　　3,000,000円
　　前期所得金額　　5,000,000円　　　　前期法人税額　　900,000円

第16章
1 各事業年度の所得に適用される法人税率を説明しなさい。
2 次の資料により，信州株式会社（期末資本金2,000万円）の所得金額と法人税額を計算しなさい。

損　益　計　算　書
自平成×年4月1日　至平成×年3月31日　　（単位：円）

売上原価	33,740,000	売　　上	55,000,000
販売費・一般管理費	6,725,000	還　付　金	145,000
法人税等	7,210,000		
当期純利益	7,470,000		
	55,145,000		55,145,000

　（注）1　販売費・一般管理費のうち，損金不算入の金額は，次のとおりである。
　　　　　　寄附金　　　　　　　　　　　180,000円
　　　　　　交際費　　　　　　　　　　　300,000円
　　　　　　減価償却費（償却超過額）　　220,000円
　　　　　　租税公課（罰金）　　　　　　100,000円
　　　2　法人税等の内訳は，次のとおりである。
　　　　　　法人税および地方法人税 5,000,000円　県民税および市民税 850,000円
　　　　　　事業税等（納付額）1,360,000円
　　　3　還付金の内訳は，次のとおりである。
　　　　　　法人税および地方法人税 100,000円　県民税および市民税 20,000円
　　　　　　事業税等 25,000円
3 2の計算において，信州株式会社の期末資本金が2億1千万円である場合の法人税額を示しなさい。
4 特定同族会社の留保金課税の概要を述べなさい。
5 長岡株式会社（資本金1億5千万円）は特定同族会社である。課税留保金額が4千万円の場合における，留保金額に対する税額を計算しなさい。
6 所得税額控除を簡単に説明しなさい。
7 A株式会社の資本金は1億5千万円である。当期（事業年度1年）の所得金額は8,000,000円である。なお，当期における預金利息に対する所得税の納付額は100,000円である。所得税額控除を行い，差引法人税額を計算しなさい。
8 外国税額控除の目的と，その算式を説明しなさい。
9 非同族会社である甲株式会社（期末資本金900万円，従業者数40人）の当期（事

業年度1年）の所得金額は8,000,000円である。同社の国税および地方税の税額（標準税率による。百円未満の端数は切捨）を計算しなさい。

第17章
1. 中間申告の要点を説明しなさい。
2. 確定申告の期限と税額につき，その要点を説明しなさい。
3. 税額の還付が行われるケースを，簡単に説明しなさい。
4. 更正および決定の内容を，簡単に説明しなさい。
5. 不服の申立ての概要を述べなさい。
6. 非同族会社である甲株式会社の期末資本金は5,000万円，事業年度は1年である。当期所得金額が10,000,000円，所得税額控除が120,000円，中間納付税額が1,120,000円の場合における，確定申告による法人税納付税額を計算しなさい。
7. 法人税申告書の主要な別表3種類とその計算内容を簡単に示しなさい。
8. 税法上の「資本金等の額」と「利益積立金額」の要点を説明しなさい。

第18章
1. 税法における，外貨建債権債務の換算方法を説明しなさい。
2. 国際株式会社の当期末における外貨建債権債務は，次のとおりである。

　　短期債権　外貨建金額 10,000ドル　帳簿価額　2,450,000円
　　短期債務　　〃　　　　 7,000ドル　　〃　　　1,680,000円
　　長期債権　　〃　　　　 6,000ドル　　〃　　　1,500,000円
　　長期債務　　〃　　　　 4,000ドル　　〃　　　　980,000円

　期末為替相場は1ドル230円である。

　同社は，短期債権債務の換算法として，期末時換算法を選定している。換算損益を計算し，仕訳を示しなさい。

3. 移転価格税制の概要を述べなさい。
4. タックス・ヘイブン税制の概要を述べなさい。
5. 過少資本税制の概要を述べなさい。

第19章
1. 適格株式交換の要点を説明しなさい。
2. 適格株式移転の要点を説明しなさい。
3. 適格合併の要点を説明しなさい。
4. 適格分社型分割の要点を説明しなさい。
5. 甲社（株式交換完全親法人）は，乙社の発行株式1,000株を，株式交換により乙社株主（50人未満）より取得し，乙社を株式交換完全子法人とした。関連事項は以下のとおりであり，その仕訳を示しなさい。

　　乙社株主の1株の帳簿価額　6万円
　　乙社株主の1株の時価　　　9万円　　甲社が交付した株式1株の時価　9万円

甲社が交付した株式数　　　1,000 株
　なお，資本金への組入額は，1 株あたり 50,000 円とする。
6　連結納税の対象範囲を簡単に述べなさい。
7　連結欠損金の繰越控除を簡単に述べなさい。
8　連結親法人 P 社は，法人税につき，連結確定申告書を提出した。下記の資料に基づき，連結所得金額，連結法人税額（税率 23.4％），連結法人税額の個別帰属額を計算しなさい。なお，連結所得金額の計算に関する連結税額調整金額がなく，連結中間納付額もないものとする（△はマイナスを示す）。
　　連結親法人 P 個別所得金額　　　9,000 万円
　　連結子法人 A 個別所得金額　　　6,000 万円
　　連結子法人 B 個別欠損金額　　△3,000 万円

第20章

1　消費税の課税の仕組みを簡単に説明しなさい。
2　メーカー A は，卸売業者 B に商品を 2,000 円で販売し，消費税（地方消費税を含む）160 円を加えて，2,160 円を受け取った。メーカー A は課税売上の消費税 160 円を納付する。
　　卸売業者 B は，その商品を小売業者 C に 2,400 円にて販売し，消費税 192 円を加えて，2,592 円を受け取った。卸売業者 B は，課税売上の消費税額 192 円から課税仕入等税額 160 円を差し引いて，消費税 32 円を納付する。
　　小売業者 C は，その商品を消費者に 3,200 円にて販売し，消費税 256 円を加えて 3,456 円を受け取った。課税売上の消費税額 256 円から課税仕入等税額 192 円を差し引いて，64 円を消費税として納付する。
　　消費者は，商品本体価格 3,200 円の 8％，256 円を消費税として負担することになる。
　　この関係を図示（本文例 1 参照）しなさい。
3　中小企業者の簡易課税制度を説明しなさい。
4　B 卸売会社（中小事業者）の課税売上高も 4 千万円であり，簡易課税制度を選択している。消費税の納付税額を計算しなさい。

練習(計算)問題解答ヒント

計算問題については最終解答,仕訳問題についてはキー・ポイントになる主要勘定科目のみを示している。

第2章
2 (1) 公共法人　　(2) 普通法人　　(3) 協同組合等　　(4) 公益法人等
5　81%

第3章
5　A社　寄附金　1,400万円, 土地譲渡益　800万円, 建物譲渡益　100万円
　　B社　受贈益　1,400万円
6　(1) 700万円　　(2) 1,400万円

第4章
2　原則　4/29　売上計算書その都度作成・継続適用　5/3
3　(1) 175,000円　　(2) 875,000円
4　工事進行基準　X6.4.30　1,080,000円　　　　　X7.4.30　3,540,000円
　　　　　　　　　X8.2.28　1,680,000円　　完成基準　X8.2.28　6,300,000円
5　(1) 奈良（株）　3/31　売上割戻し　500,000円
　　　　大和（株）　3/31　仕入割戻し　500,000円
　　(2) 奈良（株）　4/20　売上割戻し　500,000円
　　　　大和（株）　4/20　仕入割戻し　500,000円

第5章
4　　　　　期末棚卸評価額　　売上原価
　　(イ)　　　98,000円　　　　84,000円
　　(ロ)　　　91,000円　　　　91,000円
　　(ハ)　　　94,400円　　　　87,600円
　　(ニ)　　 104,000円　　　　78,000円
5　期末棚卸評価額　1,400,000円　　売上原価　9,100,000円
6　36,000円
7　(1) X3.2.28
　　(2) 最終仕入原価法
　　(3) X3.12.31
8　(1) 555,000円　　(2) 730,000円

9 ⑴ 72,000 円
　⑵ 総製造費用 8,560,000 円の 1% 以内

第 6 章
2 消耗品費　85,000 円，器具及び備品　100,000 円，
　車両運搬具　250,000 円
3 ⑴ 1,280,000 円　　⑵ 7,500,000 円
　⑶ 7,000,000 円
4 16 年
5 ⑴ 旧定額法　当期　149,400 円　　翌期　149,400 円
　　　旧定率法　　〃　319,000 円　　〃　217,239 円
　⑵ 定額法　当期　167,000 円　　翌期　167,000 円
　　　定率法　　〃　333,000 円　　〃　222,111 円
6 1,080,000 円
7 減価償却費・特許権　250,000 円
8 減価償却費・建物　860,000 円
9 ㋑ 40,000 円　償却超過　　　㋺ 260,000 円　償却不足
10 ⑴ 所得金額　8,900,000 円　　⑵ 翌期償却限度額　500,000 円
11 ⑴ 所得金額　9,100,000 円　　⑵ 翌期償却限度額　600,000 円
12 定額法　16,750 円，33,400 円，12,500 円
　定率法　33,250 円，66,600 円，25,000 円
15 建物　1,800,000 円，修繕費　1,200,000 円
16 ⑴ 修繕費　95,000 円　　⑵ 建　物　1,000,000 円

第 7 章
2 特別償却費　2,400,000 円　　機械及び装置　2,400,000 円
3 ⑴ 特別償却準備金積立額　560,000 円
　⑵ 特別償却準備金戻入額　80,000 円
4 ⑴ 繰越利益剰余金・特別償却準備金　560,000 円
　⑵ 特別償却準備金・繰越利益剰余金　80,000 円
　⑶ 560,000 円減算⑴，80,000 円加算⑵
5 1,860,000 円（普通償却 1,500,000 円＋特別償却 360,000 円）

第 8 章
第 1 節
4 6,500,000 円
8 ⑴ 1,000,000 円　　⑵ 年間 600,000 円　　⑶ 2,000,000 円
10 ⑴ 役員退職給与　10,000,000 円
　⑵ 損金不算入額　2,000,000 円加算

(3) 原則10期，11期でも可

第2節

5 (1) 寄附金 500,000円　(2) 寄附金・土地譲渡益 7,500,000円
6 損金算入限度額 355,000円，所得金額 5,645,000円

第3節

2 6,700,000円
3 1,000,000円
4 損金不算入額 400,000円，所得金額 7,900,000円
5 (1), (3), (6), (8)

第4節

6 損金不算入額 1,200,000円，所得金額 4,200,000円
7 3,000,000円

第5節

3 (1) 貸倒損失 1,600,000円　(2) 貸倒損失 29,999円

第6節

4 (1) 商品評価損 1,800,000円　(2) 有価証券評価損 1,500,000円
　(3) 固定資産評価損 2,200,000円

第7節

1 (1) 生命保険積金 800,000円
　(2) 使用人給与 120,000円
　(3) 確定給付企業年金掛金費 1,800,000円

第9章

3 2,220,000円
6 (1) 固定資産評価益 13,000,000円　(2) 受贈益 7,500,000円
7 (1) なし　(2) 車両運搬具 700,000円

第10章

5 (1) 満期保有目的等有価証券 19,000,000円
　(2) 受取利息 200,000円
6 (1) 売買目的有価証券 4,500,000円
　(2) 有価証券評価損 500,000円
　(3) 有価証券評価損洗替益 500,000円
　(4) 有価証券売却益 1,500,000円
　(5) 売買目的有価証券 7,000,000円
　(6) 有価証券評価益 2,500,000円
　(7) 有価証券評価益洗替損 2,500,000円
　(8) 有価証券売却損 800,000円

第11章
3 ⑴ 1/10 広告宣伝費 95,000 円
　⑵ 4/ 1 株式交付費・3/31 株式交付費償却 1,000,000 円
　⑶ 8/31 借家権利金 1,800,000 円,
　　　3/31 借家権利金償却 240,000 円

第12章
2 支払賃借料 90,000 円
3 2,400,000 円
4 4,000,000 円

第13章
第1節
3 2,500,000 円
4 0.019, 760,000 円
5 貸倒引当金繰入額 160,000 円
6 第 21 期 貸倒引当金繰入額 2,000,000 円
　第 22 期 貸倒引当金戻入額 2,000,000 円, 貸倒引当金繰入額 2,300,000 円
7 4,180,000 円
第2節
3 ⑴ 海外投資等損失準備金積立額 3,000,000 円
　⑵ 海外投資等損失準備金戻入額 600,000 円
　⑶ 繰越利益剰余金・海外投資等損失準備金 3,000,000 円
　　海外投資等損失準備金・繰越利益剰余金 600,000 円
4 1,500,000 円

第14章
3 ⑴ 国庫補助金等受入益 4,000,000 円, 機械及び装置 12,000,000 円,
　　機械及び装置圧縮損 4,000,000 円
　⑵ 機械及び装置圧縮記帳引当金 4,000,000 円
4 繰越利益剰余金・土地圧縮記帳積立金 5,000,000 円
6 ⑴ 21,000,000 円　　⑵ 9,000,000 円

第15章
3 5,000,000 円
4 540,000 円

第16章
2 所得金額 14,000,000 円, 法人税額 2,604,000 円

3　3,276,000 円
5　4,500,000 円
7　1,772,000 円
9　1,964,400 円

第17章
6　428,000 円

第18章
2　為替差損・短期債権　150,000 円，短期債務・為替差益　70,000 円

第19章
5　乙社株式・資本金等の額　6,000 万円，甲社株式・乙社株式　6,000 万円
8　連結所得金額　1 億 2 千万円，連結法人税額　2,808 万円，
　連結法人税額の個別帰属額　P 2,106 万円　A 1,404 万円　B △ 702 万円

第20章
2　納付消費税額　メーカーA　160 円　　卸売業者B　32 円　　小売業者C　64 円
4　320,000 円

〈主要参考文献〉

著書

泉美之松『法人税法の読み方―法人税法の基礎―』東京教育情報センター（昭和60年）

大阪国税局法人税課長編『法人税の決算調整と申告の手引』各年度版，納税協会連合会（清文社）

金子宏・斎藤静樹監修『会計全書』各年度版，中央経済社

財務省主税局総務課長ほか『改正税法のすべて』各年度版，大蔵財務協会

財協の税務教材シリーズ『私たちの法人税』各年度版，大蔵財務協会

武田昌輔『立法趣旨　法人税法の解釈』三訂版，財経詳報社（平成2年）

富岡幸雄『新版　税務会計学講義〔第3版〕』中央経済社（平成25年）

―――『税務会計学原理』中央大学出版部（平成15年）

中田信正『財務会計・税法関係論』同文舘出版（平成12年）

―――『財務会計・法人税法論文の書き方・考え方―論文作法と文献調査―〔改訂版〕』同文舘出版（平成25年）

日本税理士会連合会編集『税務六法　法令編』『税務六法　通達編』各年度版，ぎょうせい

矢内一好・高山政信『和英用語対照　税務・会計用語辞典〔13訂版〕』財経詳報社（平成27年）

山本守之『体系法人税法』各年度版，税務経理協会

渡辺淑夫『法人税法』各年度版，中央経済社

オンライン文献

財務省：「平成27年度税制改正の解説　法人税法の改正」
http://www.mof.go.jp/tax_policy/tax_reform/outline/fy2015/explanation/pdf/p0318_0391.pdf

財務省：「平成27年度税制改正の解説　租税特別措置法等（法人税関係）の改正」
http://www.mof.go.jp/tax_policy/tax_reform/outline/fy2015/explanation/pdf/p0392_0535.pdf

財務省：「平成28年度税制改正の解説　法人税法等の改正」
http://www.mof.go.jp/tax_policy/tax_reform/outline/fy2016/explanation/pdf/p0294_0385.pdf

財務省：「平成28年度税制改正の解説　租税特別措置法等（法人税関係）の改正」
http://www.mof.go.jp/tax_policy/tax_reform/outline/fy2016/explanation/pdf/p0386_0535.pdf

総務省行政管理局：「法人税法・法令データ提供システム」
http://law.e-gov.go.jp/htmldata/S40/S40HO034.html

総務省行政管理局：「租税特別措置法・法令データ提供システム」
http://law.e-gov.go.jp/htmldata/S32/S32HO026.html

雑誌

『税経通信』税務経理協会

『税務弘報』中央経済社

『週刊　税務通信』税務研究会

受験雑誌

『会計人コース』中央経済社

『税経セミナー』税務経理協会

《付録》

法人税申告書別表一（一）・一（一）次葉・四・五（一）

減価償却資産の耐用年数等に関する省令（抜粋）

組織別，資本金階級別法人数

利益計上法人数・欠損法人数の推移

別表一 (一)

別表一（一）次葉

| | 事業年度等 | ・・ | 法人名 | |

法人税額の計算

中小法人等の場合	(1)の金額又は800万円×$\frac{}{12}$相当額のうち少ない金額	48	000	(48)の15％相当額	52	
	(1)のうち年800万円相当額を超える金額 (1)－(48)	49	000	(49)の23.9％又は23.4％相当額	53	
	所得金額 (48)＋(49)	50	000	法人税額 (52)＋(53)	54	
その他の法人の場合	所得金額 (1)	51	000	法人税額 (51)の23.9％又は23.4％相当額	55	

地方法人税額の計算

所得の金額に対する法人税額 (32)	56	000	(56)の4.4％相当額	58	
課税留保金額に対する法人税額 (33)	57	000	(57)の4.4％相当額	59	

この申告が修正申告である場合の計算

法人税額の計算	この申告前の	所得金額又は欠損金額	60		地方法人税額の計算	この申告前の	所得の金額に対する法人税額	68	
		課税土地譲渡利益金額	61				課税留保金額に対する法人税額	69	
		課税留保金額	62				課税標準法人税額 (68)＋(69)	70	000
		法人税額	63				確定地方法人税額	71	
		還付金額	64	外			中間還付額	72	
		この申告により納付すべき法人税額又は減少する還付請求税額 ((13)－(63))若しくは((13)＋(64))又は(40)－(27)	65	外 00			欠損金の繰戻しによる還付金額	73	
	この申告前の	欠損金又は災害損失金等の当期控除額	66				この申告により納付すべき地方法人税額 ((42)－(71))若しくは((42)＋(72)＋(73))又は((72)－(43))＋((73)－(43の外書)))	74	00
		翌期へ繰り越す欠損金又は災害損失金	67						

別表四

所得の金額の計算に関する明細書（簡易様式）

区　分		総　額 ①	処　　分	
			留　保 ②	社外流出 ③
当期利益又は当期欠損の額	1	円	円	配当　　　　円
				その他
加算	損金経理をした法人税及び地方法人税（附帯税を除く。）	2			
	損金経理をした道府県民税（利子割を除く。）及び市町村民税	3			
	損金経理をした道府県民税利子割額	4			
	損金経理をした納税充当金	5			
	損金経理をした附帯税（利子税を除く。）、加算金、延滞金（延納分を除く。）及び過怠税	6			その他
	減価償却の償却超過額	7			
	役員給与の損金不算入額	8			その他
	交際費等の損金不算入額	9			その他
		10			
	小　計	11			
減算	減価償却超過額の当期認容額	12			
	納税充当金から支出した事業税等の金額	13			
	受取配当等の益金不算入額（別表八（一）「13」又は「26」）	14			※
	外国子会社から受ける剰余金の配当等の益金不算入額（別表八（二）「26」）	15			※
	受贈益の益金不算入額	16			※
	適格現物分配に係る益金不算入額	17			※
	法人税等の中間納付額及び過誤納に係る還付金額	18			
	所得税額等及び欠損金の繰戻しによる還付金額等	19			※
		20			
	小　計	21			外※
仮　計　(1)＋(11)－(21)	22			外※
関連者等に係る支払利子等の損金不算入額（別表十七（二の二）「25」又は「30」）	23			その他
超過利子額の損金算入額（別表十七（二の三）「10」）	24	△		※ △
仮　計　((22)から(24)までの計)	25			外※
寄附金の損金不算入額（別表十四（二）「24」又は「40」）	26			その他
法人税額から控除される所得税額（別表六（一）「13」）	29			その他
税額控除の対象となる外国法人税の額（別表六（二）「7」）	30			その他
合　計　(25)＋(26)＋(29)＋(30)	33			外※
契約者配当の益金算入額（別表九（一）「13」）	34			
非適格合併又は残余財産の全部分配等による移転資産等の譲渡利益額又は譲渡損失額	36			※
差　引　計　(33)－(34)＋(36)	37			外※
欠損金又は災害損失金等の当期控除額（別表七（一）「4の計」＋（別表七（二）「9」若しくは「21」又は別表七（三）「10」）)	38	△		※ △
総　計　(37)＋(38)	39			外※
新鉱床探鉱費又は海外新鉱床探鉱費の特別控除額（別表十（二）「43」）	40	△		※ △
残余財産の確定の日の属する事業年度に係る事業税の損金算入額	46	△	△	
所得金額又は欠損金額	47			外※

別表五（一）

利益積立金額及び資本金等の額の計算に関する明細書

事業年度	． ．	法人名	

I 利益積立金額の計算に関する明細書

区　分		期首現在利益積立金額 ①	当期の減 ②	当期の増 ③	差引翌期首現在利益積立金額 ①-②+③ ④
利益準備金	1	円	円	円	円
積立金	2				
	3				
	4				
	5				
	6				
	7				
	8				
	9				
	10				
	11				
	12				
	13				
	14				
	15				
	16				
	17				
	18				
	19				
	20				
	21				
	22				
	23				
	24				
	25				
繰越損益金（損は赤）	26				
納税充当金	27				
未納法人税等	未納法人税、未納地方法人税及び未納復興特別法人税（附帯税を除く。）	28	△	△	中間 △ 確定 △	△
	未納道府県民税（均等割額及び利子割額を含む。）	29	△	△	中間 △ 確定 △	△
	未納市町村民税（均等割額を含む。）	30	△	△	中間 △ 確定 △	△
差引合計額	31				

II 資本金等の額の計算に関する明細書

区　分		期首現在資本金等の額 ①	当期の減 ②	当期の増 ③	差引翌期首現在資本金等の額 ①-②+③ ④
資本金又は出資金	32	円	円	円	円
資本準備金	33				
	34				
	35				
差引合計額	36				

御注意

1 この表は、通常の場合には次の算式により検算ができます。
　［期首現在利益積立金額合計「31」①］＋［別表四留保所得金額又は欠損金額「47」］－［中間分、確定分法人税県市民税の合計額］
　＝［差引翌期首現在利益積立金額合計「31」④］

2 発行済株式又は出資のうちに二以上の種類の株式がある場合には、法人税法施行規則別表五（付表）（別表五（付表））の記載が必要となりますので御注意ください。

付録　減価償却資産の耐用年数等に関する省令（抜粋）
別表第一　機械及び装置以外の有形減価償却資産の耐用年数表（抜粋）

種類	構造又は用途	細目	耐用年数
建物	鉄骨鉄筋コンクリート造又は鉄筋コンクリート造のもの	事務所用又は美術館用のもの及び下記以外のもの	50年
		住宅用，寄宿舎用，宿泊所用，学校用又は体育館用のもの	47
建物附属設備	電気設備（照明設備を含む。）	蓄電池電源設備 その他のもの	6 15
	給排水又は衛生設備及びガス設備		15
車両及び運搬具	運送事業用，貸自動車業用又は自動車教習所用の車両及び運搬具（前掲のものを除く。）	自動車（二輪又は三輪自動車を含み，乗合自動車を除く。） 　小型車（貨物自動車にあっては積載量が2トン以下，その他のものにあっては総排気量が2リットル以下のものをいう。） 　その他のもの 　　大型乗用車（総排気量が3リットル以上のものをいう。） 　　その他のもの	 3 5 4
		乗合自動車	5
		自転車及びリヤカー	2
		被けん引車その他のもの	4
	前掲のもの以外のもの	自動車（二輪又は三輪自動車を除く。） 　小型車（総排気量が0.66リットル以下のものをいう。） 　その他のもの 　　貨物自動車 　　　ダンプ式のもの 　　　その他のもの 　　報道通信用のもの 　　その他のもの	 4 4 5 5 6
		二輪又は三輪自動車	3
		自転車	2

器具及び備品	1 家具，電気機器，ガス機器及び家庭用品（他の項に掲げるものを除く。）	事務机，事務いす及びキャビネット 　主として金属製のもの 　その他のもの	15 8
		応接セット 　接客業用のもの 　その他のもの	5 8
		ベッド	8
		児童用机及びいす	5
		陳列棚及び陳列ケース 　冷凍機付又は冷蔵機付のもの 　その他のもの	6 8
		その他の家具 　接客業用のもの 　その他のもの 　　主として金属製のもの 　　その他のもの	5 15 8
		ラジオ，テレビジョン，テープレコーダーその他の音響機器	5
		冷房用又は暖房用機器	6
		電気冷蔵庫，電気洗濯機その他これらに類する電気又はガス機器	6

別表第二「機械及び装置の耐用年数表」(抜粋)

番号	設備の種類	細目	耐用年数
1	食料品製造業用設備		10年
11	ゴム製品製造業用設備		9
12	なめし革,なめし革製品又は毛皮製造業用設備		9
13	窯業又は土石製品製造業用設備		9
14	鉄鋼業用設備	表面処理鋼材若しくは鉄粉製造業又は鉄スクラップ加工処理業用設備	5
		純鉄,原鉄,ベースメタル,フェロアロイ,鉄素形材又は鋳鉄管製造業用設備	9
		その他の設備	14
55	前掲の機械及び装置以外のもの並びに前掲の区分によらないもの	機械式駐車設備	10
		その他の設備	
		主として金属製のもの	17
		その他のもの	8

(注) 平成20年度改正により,機械及び装置の区分は,390区分から55区分に整理された。

別表第三　無形減価償却資産の耐用年数表

種類		耐用年数	種類	耐用年数
漁業権		10年	営業権	5年
ダム使用権		55	専用側線利用権	30
水利権		20	鉄道軌道連絡通行施設利用権	30
特許権		8	電気ガス供給施設利用権	15
実用新案権		5	熱供給施設利用権	15
意匠権		7	水道施設利用権	15
商標権		10	工業用水道施設利用権	15
ソフトウエア	複写して販売するための原本	3	電気通信施設利用権	20
	その他のもの	5		
育成者権	種苗法第四条第二項に規定する品種	10		
	その他	8		

別表第七　平成19年3月31日以前取得減価償却資産の償却率表（抜粋）

耐用年数	旧定額法償却率	旧定率法償却率	耐用年数	旧定額法償却率	旧定率法償却率
2	0.500	0.684	16	0.062	0.134
3	0.333	0.536	17	0.058	0.127
4	0.250	0.438	18	0.055	0.120
5	0.200	0.369	19	0.052	0.114
6	0.166	0.319	20	0.050	0.109
7	0.142	0.280	21	0.048	0.104
8	0.125	0.250	22	0.046	0.099
9	0.111	0.226	23	0.044	0.095
10	0.100	0.206	24	0.042	0.092
11	0.090	0.189	25	0.040	0.088
12	0.083	0.175	26	0.039	0.085
13	0.076	0.162	27	0.037	0.082
14	0.071	0.152	28	0.036	0.079
15	0.066	0.142	29	0.035	0.076
			30	0.034	0.074

（注）償却率は耐用年数100年まで示されている。

別表第八　平成19年4月1日以後取得減価償却資産の定額法の償却率表（抜粋）

耐用年数	定額法償却率	耐用年数	定額法償却率
2	0.500	16	0.063
3	0.334	17	0.059
4	0.250	18	0.056
5	0.200	19	0.053
6	0.167	20	0.050
7	0.143	21	0.048
8	0.125	22	0.046
9	0.112	23	0.044
10	0.100	24	0.042
		25	0.040
11	0.091	26	0.039
12	0.084	27	0.038
13	0.077	28	0.036
14	0.072	29	0.035
15	0.067	30	0.034

（注）償却率は耐用年数100年まで示されている。

別表第九 平成19年4月1日から平成24年3月31日までに取得された減価償却資産の定率法の償却率，改定償却率及び保証率の表（抜粋）

耐用年数	定率法 償却率	改定償却率	保証率
2	1.000	—	—
3	0.833	1.000	0.02789
4	0.625	1.000	0.05274
5	0.500	1.000	0.06249
6	0.417	0.500	0.05776
7	0.357	0.500	0.05496
8	0.313	0.334	0.05111
9	0.278	0.334	0.04731
10	0.250	0.334	0.04448
11	0.227	0.250	0.04123
12	0.208	0.250	0.03870
13	0.192	0.200	0.03633
14	0.179	0.200	0.03389
15	0.167	0.200	0.03217
16	0.156	0.167	0.03063
17	0.147	0.167	0.02905
18	0.139	0.143	0.02757
19	0.132	0.143	0.02616
20	0.125	0.143	0.02517
21	0.119	0.125	0.02408
22	0.114	0.125	0.02296
23	0.109	0.112	0.02226
24	0.104	0.112	0.02157
25	0.100	0.112	0.02058
26	0.096	0.100	0.01989
27	0.093	0.100	0.01902
28	0.089	0.091	0.01866
29	0.086	0.091	0.01803
30	0.083	0.084	0.01766

（注） 償却率は耐用年数100年まで示されている。

別表第十 平成24年4月1日以後に取得された減価償却資産の定率法の償却率，改定償却率及び保証率の表（抜粋）

耐用年数	償却率	改定償却率	保証率
2	1.000	—	—
3	0.667	1.000	0.11089
4	0.500	1.000	0.12499
5	0.400	0.500	0.10800
6	0.333	0.334	0.09911
7	0.286	0.334	0.08680
8	0.250	0.334	0.07909
9	0.222	0.250	0.07126
10	0.200	0.250	0.06552
11	0.182	0.200	0.05992
12	0.167	0.200	0.05566
13	0.154	0.167	0.05180
14	0.143	0.167	0.04854
15	0.133	0.143	0.04565
16	0.125	0.143	0.04294
17	0.118	0.125	0.04038
18	0.111	0.112	0.03884
19	0.105	0.112	0.03693
20	0.100	0.112	0.03486
21	0.095	0.100	0.03335
22	0.091	0.100	0.03182
23	0.087	0.091	0.03052
24	0.083	0.084	0.02969
25	0.080	0.084	0.02841
26	0.077	0.084	0.02716
27	0.074	0.077	0.02624
28	0.071	0.072	0.02568
29	0.069	0.072	0.02463
30	0.067	0.072	0.02366

（注） 償却率は耐用年数100年まで示されている。

組織別・資本金階級別法人数—平成26年度—

区 分	1,000万円以下	1,000万円超 1億円以下	1億円超 10億円以下	10億円超	合 計	構成比
(組織別)	社	社	社	社	社	%
株式会社	2,119,628	335,969	16,630	5,542	2,477,769	94.7
合名会社	3,807	176	6	2	3,991	0.2
合資会社	18,311	672	1	5	18,989	0.7
合同会社	38,999	338	57	11	39,405	1.5
その他	55,099	19,588	1,121	523	76,331	2.9
合計	2,235,844	356,743	17,815	6,083	2,616,485	100.0
構成比	(85.5)	(13.6)	(0.7)	(0.2)	(100.0)	—

利益計上法人数・欠損法人数の推移

区 分	法 人 数			欠損法人割合
	利益計上法人	欠損法人 (A)	合 計 (B)	(A)／(B)
	社	社	社	%
平成16年分	846,630	1,722,023	2,568,653	67.0
17	849,530	1,730,981	2,580,511	67.1
18	867,347	1,719,021	2,586,368	66.5
平成18年度分	871,241	1,715,343	2,586,584	66.3
19	852,627	1,735,457	2,588,084	67.1
20	740,533	1,856,575	2,597,108	71.5
21	710,552	1,900,157	2,610,709	72.8
22	702,553	1,877,801	2,580,354	72.8
23	711,478	1,859,012	2,570,490	72.3
24	749,731	1,776,253	2,525,984	70.3
25	823,136	1,762,596	2,585,732	68.2
26	876,402	1,729,372	2,605,774	66.4
(構成比)	(33.6)	(66.4)	(100.0)	
内　連結法人				
平成16年分	75	219	294	74.5
17	156	266	422	63.0
18	234	306	540	56.7
平成18年度分	275	315	590	53.4
19	308	377	685	55.0
20	258	490	748	65.5
21	266	554	820	67.6
22	289	601	890	67.5
23	388	698	1,086	64.3
24	626	617	1,243	49.6
25	803	589	1,392	42.3
26	887	606	1,493	40.6
(構成比)	(59.4)	(40.6)	(100.0)	

(注) 平成26年度　連結親法人 1,493 社，連結子法人 10,711 社（調査結果の概要 1）
　　 国税庁『平成26年度分　税務統計から見た法人企業の実態』平成28年3月，第4表，第6表
　　 https://www.nta.go.jp/kohyo/tokei/kokuzeicho/kaishahyohon2014/pdf/kekka.pdf

平成29年度税制改正の大綱 (一部抜粋)*

平成28年12月22日
閣議決定

　我が国経済の成長力の底上げのため，就業調整を意識しなくて済む仕組みを構築する観点から配偶者控除・配偶者特別控除の見直しを行うとともに，経済の好循環を促す観点から研究開発税制及び所得拡大促進税制の見直しや中小企業向け設備投資促進税制の拡充等を行う。あわせて，酒類間の税負担の公平性を回復する等の観点から酒税改革を行うとともに，我が国企業の海外における事業展開を阻害することなく，国際的な租税回避により効果的に対応するため外国子会社合算税制を見直す。このほか，災害への税制上の対応に係る各種の規定の整備等を行う。具体的には，次のとおり税制改正を行うものとする。

三　法人課税

1　競争力強化のための研究開発税制等の見直し
（国　税）
〔延長・拡充等〕
(1)　試験研究を行った場合の税額控除制度（研究開発税制）について，次の見直しを行う。
　① 試験研究費の総額に係る税額控除制度について，税額控除率（現行：試験研究費割合に応じ8～10%）を次の試験研究費の増減割合に応じた税額控除率（10%を上限とする。）とする制度に改組する。
　　イ　増減割合が5% 超　　9% + （増減割合 － 5%）× 0.3
　　ロ　増減割合が5% 以下　9% － （5% － 増減割合）× 0.1
　　ハ　増減割合が －25% 未満　6%

---

http://www.mof.go.jp/tax_policy/tax_reform/outline/fy2017/20161222taikou.pdf

2 賃上げを促すための所得拡大促進税制の見直し
（国　税）
〔拡充等〕
雇用者給与等支給額が増加した場合の税額控除制度について，次の見直しを行う。
(1) 中小企業者等以外の法人について，平均給与等支給額が比較平均給与等支給額を超えることとの要件を，平均給与等支給額から比較平均給与等支給額を控除した金額のその比較平均給与等支給額に対する割合が 2％ 以上であることとの要件に見直すとともに，控除税額を，雇用者給与等支給増加額の 10％ と雇用者給与等支給増加額のうち雇用者給与等支給額から比較雇用者給与等支給額を控除した金額に達するまでの金額の 2％ との合計額（現行：雇用者給与等支給増加額の 10％）とする。
(2) 中小企業者等について，平均給与等支給額から比較平均給与等支給額を控除した金額のその比較平均給与等支給額に対する割合が 2％ 以上である場合における控除税額を，雇用者給与等支給増加額の 10％ と雇用者給与等支給増加額のうち雇用者給与等支給額から比較雇用者給与等支給額を控除した金額に達するまでの金額の 12％ との合計額（現行：雇用者給与等支給増加額の 10％）とする。

3 コーポレートガバナンス改革・事業再編の環境整備
（国　税）
(1) 確定申告書の提出期限の延長の特例について，次の見直しを行う。
   ① 法人が，会計監査人を置いている場合で，かつ，定款等の定めにより各事業年度終了の日の翌日から 3 月以内に決算についての定時総会が招集されない常況にあると認められる場合には，その定めの内容を勘案して 4 月を超えない範囲内において税務署長が指定する月数の期間の確定申告書の提出期限の延長を認めることとする。
(2) 法人の支給する役員給与等について，次の見直しを行う。
   ① 利益連動給与について，……見直しを行う。
   ② 退職給与で利益その他の指標（勤務期間及び既に支給した給与を除く。）を基礎として算定されるもののうち利益連動給与の損金算入要件を満たさないもの及び新株予約権による給与で事前確定届出給与又は利益連動給与の損金算入要件を満たさないものは，その全額を損金不算入とする。……
   ③ 事前確定届出給与について，……見直しを行う。
   ④ 定期同額給与の範囲に，税及び社会保険料の源泉徴収等の後の金額が同額である定期給与を加える。
   ⑤ 譲渡制限付株式又は新株予約権を対価とする費用の帰属事業年度の特例について，……見直しを行う。

⑥ 定期同額給与の改定期限，事前確定届出給与の届出期限及び利益連動給与における報酬委員会の決定等の手続の期限について，上記(1)の改正に伴う見直しを行う。

⑦ その他所要の措置を講ずる。

(3) 組織再編税制等について，……見直しを行う。

4 中堅・中小事業者の支援

(国 税)

〔新設〕

地域中核企業向け設備投資促進税制の創設

〔延長・拡充等〕

(1) 中小企業向け設備投資促進税制の拡充

中小企業投資促進税制及び特定中小企業者等が経営改善設備を取得した場合の特別償却又は税額控除制度について，次の措置を講ずる。

① 中小企業投資促進税制の上乗せ措置（生産性向上設備等に係る即時償却等）について，次の中小企業経営強化税制として改組し，全ての器具備品及び建物附属設備を対象とする。……

② 中小企業投資促進税制について，上記①のほか，対象資産から器具備品を除外した上，その適用期限を 2 年延長する。

③ 特定中小企業者等が経営改善設備を取得した場合の特別償却又は税額控除制度の適用期限を 2 年延長する。

④ 中小企業投資促進税制，特定中小企業者等が経営改善設備を取得した場合の特別償却又は税額控除制度及び上記①の中小企業経営強化税制の控除税額の上限について，これらの制度の税額控除における控除税額の合計で，当期の法人税額の 20% を上限とする所要の整備を行う。

(2) 中小企業技術基盤強化税制について，試験研究費の総額に係る税額控除制度の改組にかかわらず，一律の税額控除率（現行：12%）を維持した上，2 年間の時限措置として，次の措置を講ずる。……

(3) 中小企業の賃上げを促すための税制上の措置

雇用者給与等支給額が増加した場合の税額控除制度について，平均給与等支給額から比較平均給与等支給額を控除した金額のその比較平均給与等支給額に対する割合が 2% 以上である場合における控除税額を，雇用者給与等支給増加額の 10% と雇用者給与等支給増加額のうち雇用者給与等支給額から比較雇用者給与等支給額を控除した金額に達するまでの金額の 12% との合計額（現行：雇用者給与等支給増加額の 10%）とする。

(4) 中小企業者等に係る軽減税率の特例の適用期限を2年延長する。

5 地方創生の推進
（国　税）
〔拡充等〕
　地方活力向上地域において特定建物等を取得した場合の特別償却又は税額控除制度並びに特定の地域において雇用者の数が増加した場合の税額控除制度（雇用促進税制）のうち地方事業所基準雇用者数に係る措置及び地方事業所特別基準雇用者数に係る措置について，次の措置を講ずる。……

6 災害に関する税制上の措置等（抜粋省略）

7 円滑・適正な納税のための環境整備（抜粋省略）

8 その他の租税特別措置等
（国　税）
〔新設〕
(1) 協同組合等の各事業年度において，その保有する連合会等の普通出資につき支払を受ける配当等の額がある場合には，その配当等の額のうち益金の額に算入しない金額は，その出資保有割合にかかわらず，その配当等の額の100分の50相当額とする措置を講ずる。
〔延長〕
⑿ 退職年金等積立金に対する法人税の課税の停止措置の適用期限を3年延長する。
〔廃止・縮減等〕
(2) 公害防止用設備の特別償却制度について，取得価額要件を600万円以上（現行：300万円以上）に引き上げた上，その適用期限を2年延長する。
(3) 船舶の特別償却制度について，次の見直しを行った上，その適用期限を2年延長する。
(6) 医療用機器の特別償却制度について，対象機器の見直しを行った上，その適用期限を2年延長する。
(7) サービス付き高齢者向け賃貸住宅の割増償却制度は，適用期限の到来をもって廃止する。

9 その他（抜粋省略）

索　引

あ

青色申告 …………………………………… 17
　――の特典 ……………………………… 18
圧縮記帳 ………………………………… 142
　――の経理方法 ……………………… 143

委託販売 ………………………………… 28
著しい為替変動時における期末時換算 … 176
一括償却資産の損金算入制度 ………… 61
一括評価する金銭債権に対する貸倒引当金
　の繰入限度額 ………………………… 135
一定期間取引停止後弁済がない場合等の貸
　倒れ …………………………………… 100
一般寄附金の損金算入限度額 ………… 82
一般に公正妥当と認められる会計処理基準
　………………………………………… 21
移転価格税制 …………………………… 177
移動平均法 ……………………………… 38

請負による収益 ………………………… 31
受取配当金 ……………………………… 109
　――の益金不算入 …………………… 109
　――の申告調整 ……………………… 111
売上原価 ………………………………… 35
売上割戻し ……………………………… 33

益金の額 ………………………………… 19
エネルギー環境負荷低減推進設備等を取得
　した場合の特別償却 ………………… 67
延滞金 …………………………………… 93
延滞税 …………………………………… 92

か

海外投資等損失準備金 ………………… 138
海外渡航費 ……………………………… 106
外貨建資産等の期末換算の方法 ……… 175
外貨建取引の換算 ……………………… 175
外国子会社配当の益金不算入 ………… 113
外国税額控除 …………………………… 156
外国法人 ………………………………… 9
会社分割税制 …………………………… 188
回収不能の金銭債権の貸倒れ ………… 100

各事業年度の所得に対する法人税額 … 151
確定給付企業年金等の掛金等 ………… 105
確定決算 ………………………………… 21
確定申告 ………………………………… 164
加算税 …………………………………… 92
貸倒損失 ………………………………… 99
貸倒引当金 ……………………………… 134
過少資本税制 …………………………… 181
過少申告加算金 ………………………… 93
過少申告加算税 ………………………… 92
課税所得の範囲 ………………………… 11
課税所得論 ……………………………… 4
過大支払利子税制 ……………………… 182
合併 ……………………………………… 186
株式移転 ………………………………… 183
株式交換 ………………………………… 183
簡易課税制度 …………………………… 200
完成基準 ………………………………… 31
還付金 …………………………………… 114
還付加算金 ……………………………… 114

企業組織再編税制 ……………………… 183
寄附金 …………………………………… 81
　――の損金算入限度額 ……………… 82
　――の範囲 …………………………… 81
期末時換算法 …………………………… 175
旧定額法 ………………………………… 48
旧定率法 ………………………………… 48
協同組合等 ……………………………… 10
金銭債権の全部または一部の切捨てをした
　場合の貸倒れ ………………………… 99
金銭の貸借とされるリース取引 ……… 131

国・地方公共団体に対する寄附金および指
　定寄附金の損金算入 ………………… 83
繰延資産 ………………………………… 123
　――の種類 …………………………… 123
　――の償却限度額 …………………… 124
グループ法人税 ………………………… 197

経済的利益の供与 ……………………… 78
決算利益と所得金額の関係 …………… 21
欠損金 …………………………………… 146

――の繰越し……………………146
――の繰戻し……………………147
決定………………………………166
原価基準法………………………180
減価償却資産……………………44
　　――の取得価額………………45
　　――の耐用年数等に関する省令等……8
減価償却費………………………43
減価償却方法……………………56
原価法……………………………36
憲法………………………………6

行為または計算の否認…………15
公益法人等………………………10
公共法人…………………………10
広告宣伝費と交際費等との区分……89
広告宣伝用資産の受贈益………116
交際費等…………………………87
　　――に含まれないもの………88
　　――に含まれる費用の例示…88
　　――の損金不算入……………86
　　――の範囲……………………87
工事進行基準……………………32
更正………………………………166
　　――の請求……………………166
国外関連者………………………179
　　――との取引に係る保税の特例………177
国外関連取引……………………179
国外支配株主等に係る負債利子の課税の特
　例………………………………181
国税通則法………………………6
国内源泉所得……………………11
国庫補助金等……………………142
固定資産…………………………43
　　――の譲渡損益………………34
個別評価する金銭債権の貸倒引当金の繰入
　限度額…………………………134
個別法……………………………37

さ

最終仕入原価法…………………38
再販売価格基準法………………180
債務の確定………………………20
先入先出法………………………37
残存簿価…………………………46

仕入割戻し………………………33

事業税等…………………………94
事業年度…………………………12
　　――の中途で事業の用に供した減価償却
　　資産の償却限度額……………60
試験研究を行った場合の法人税額の特別控
　除………………………………157
資産評価益………………………115
資産評価損………………………101
事前確定届出給与………………76
市町村民税………………………93
実質所得者課税の原則…………11
使途秘匿金がある場合の課税の特例……155
資本金等の額……………………168
資本的支出………………………62
　　――と修繕費の区分の特例…64
　　――の例示……………………63
資本等取引………………………21
社会保険料………………………104
重加算金…………………………93
重加算税…………………………92
修正申告…………………………166
修繕費……………………………62
　　――の例示……………………63
収用等の場合の圧縮記帳………144
受贈益……………………………115
障害者を雇用する場合の機械等の割増償却
　…………………………………69
少額な繰延資産の損金算入……126
少額の減価償却資産の取得価額の損金算入
　…………………………………44
償却限度額………………………58
償却方法の選定…………………55
使用人給与等……………………74
使用人兼務役員の使用人分賞与の損金算入
　…………………………………77
使用人賞与………………………74
使用人退職給与…………………75
試用販売…………………………29
消費税……………………………198
　　――の課税の仕組み…………198
　　――の税率……………………200
商品引換券等……………………30
消耗品費等………………………107
剰余金の処分により特別償却準備金……72
除却損失…………………………62
所得金額…………………………19
所得税額控除……………………155

所得税額等の還付 …………………… 165
所有権移転外リース取引 ……………… 129
所有権移転リース取引 ………………… 130
人格のない社団等 ……………………… 10
申告調整 ………………………………… 21
　──事項 ……………………………… 23

税額控除 ………………………………… 155
税額の計算 ……………………………… 151
生産高比例法 …………………………… 55
税務会計の概念 ………………………… 3
税務会計の分野 ………………………… 4
税務計画論 ……………………………… 4
生命保険料 ……………………………… 104

相当の償却 ……………………………… 42
総平均法 ………………………………… 37
租税公課 ………………………………… 90
租税特別措置法 ………………………… 8
　──における準備金 ………………… 138
損害賠償金 ……………………………… 105
損金経理事項 …………………………… 23
損金経理要件 …………………………… 23
損金算入される役員給与 ……………… 76
損金算入の主要な租税公課 …………… 94
損金の額 ………………………………… 20
損金不算入の主要な租税公課 ………… 91
損金不算入の役員給与 ………………… 76

── た ──

耐用年数 ………………………………… 47
　──の短縮 …………………………… 48
タックス・ヘイブン税制 ……………… 180
棚卸資産 ………………………………… 35
　──の取得価額 ……………………… 40
　──の販売 …………………………… 27
　──の評価の方法の選定 …………… 39
　──の評価方法 ……………………… 36
　──の評価方法の変更 ……………… 40
　──の法定評価法 …………………… 40
短期の前払費用 ………………………… 107

地方消費税の税率 ……………………… 200
地方税等の税額計算 …………………… 159
地方税における個別納税計算 ………… 196
地方税法 ………………………………… 8
地方法人税 ……………………………… 158

地方法人特別税 ………………………… 160
中間申告 ………………………………… 163
中間納付税額の還付 …………………… 166
中古資産の見積耐用年数 ……………… 47
中小企業者等の少額減価償却資産の取得価
　額の損金算入 ………………………… 61
中小企業等の貸倒引当金の特例 ……… 136
長期割賦販売等 ………………………… 28

通達 ……………………………………… 7

定額法 …………………………………… 50
低価法 …………………………………… 39
定期同額給与 …………………………… 76
定率法 …………………………………… 51
適格合併における青色繰越欠損金の引継ぎ
　………………………………………… 187
適格合併の要件 ………………………… 186
適格株式移転 …………………………… 185
適格株式交換 …………………………… 184
適格分割の要件 ………………………… 189
適格分社型分割 ………………………… 189

同業団体等の会費 ……………………… 106
同族会社 ………………………………… 13
同族関係者 ……………………………… 14
道府県民税 ……………………………… 93
特定公益増進法人に対する寄附金の特別損
　金算入限度額 ………………………… 84
特定設備等の特別償却 ………………… 68
特定同族会社の留保金課税 …………… 153
特別償却 ………………………………… 66
　──の種類 …………………………… 67
特別償却準備金 ………………………… 71
特別償却費 ……………………………… 71
特別償却不足額の1年間繰越し ……… 69
独立価格比準法 ………………………… 179
独立企業間価格の算定方法 …………… 179
都民税 …………………………………… 93

── な ──

内国法人 ………………………………… 9

納税地 …………………………………… 12

── は ──

売価還元法 ……………………………… 38

売買とされるリース取引…………128
売買目的有価証券の評価益・評価損……122
罰金および科料ならびに過料…………93
発生時換算法…………………………175
販売収益………………………………27

引当金…………………………………133
非同族の同族会社……………………15

複式簿記の原則………………………18
負債利子控除…………………………110
不申告加算金…………………………93
不正行為等に係る費用等の損金不算入…107
普通法人………………………………10
不納付加算税…………………………93
不服の申立て…………………………167
分割型分割……………………………188
分社型分割……………………………188

別表五㈠Ⅰ　利益積立金額の計算………171
別表四　所得金額の計算………………171

法人事業税および地方法人特別税の税率
　……………………………………160
法人事業税の外形標準課税……………161
法人住民税の税率……………………159
法人税等の会計処理…………………97
法人税法………………………………7
　――施行規則…………………………7
　――施行令……………………………7
法人成り………………………………16
法人の種類……………………………10
法定耐用年数…………………………47

ま

みなし配当……………………………113

無形減価償却資産……………………44
無形固定資産…………………………44
無申告加算税…………………………92

や

役員給与………………………………75
役員退職給与…………………………80
役員の範囲……………………………77

有価証券………………………………118
　――の1単位当たりの帳簿価額………120
　――の区分……………………………119
　――の区分別評価方法………………121
　――の取得価額………………………119
　――の譲渡損益………………………118
　――の範囲……………………………118
有形減価償却資産……………………44
有形固定資産…………………………44

予約販売………………………………30

ら

リース期間定額法……………………130
リース資産……………………………129
　――の減価償却法……………………130
リース取引……………………………128
　――における賃貸人の処理…………132
リースの区分…………………………128
リースバック…………………………131
利益積立金額…………………………169
利益連動給与…………………………76
利子税…………………………………95
留保金課税……………………………15

連結親法人……………………………190
連結確定申告…………………………195
連結欠損金の繰越し…………………192
連結子法人……………………………190
連結事業年度…………………………191
連結所得金額…………………………192
連結所得調整…………………………192
連結所得の計算………………………191
連結中間申告…………………………195
連結納税開始・加入に伴う資産の時価評価
　……………………………………193
連結納税制度…………………………190
　――を適用している場合の地方法人税
　……………………………………196
連結納税適用前欠損金額の持込制限……193
連結納税の承認申請…………………191
連結納税の納税義務および範囲………190
連結法人………………………………191
連結法人税額の計算…………………194
連結法人税の個別帰属額……………195

〈著者略歴〉

中田信正（なかた・のぶまさ）

1932年　京都市に生まれる
1954年　税理士試験合格
1956年　公認会計士3次試験合格
1959年　立命館大学大学院経済学研究科修士課程修了
1960年　桃山学院大学助手，講師，助教授を経て
1972年　桃山学院大学教授
1973年　アメリカ，ワシントン大学にて在外研究
1992年　博士（商学）（関西学院大学）
2002年　桃山学院大学名誉教授
2005年　愛知工業大学教授
2008年　愛知工業大学客員教授（2014年終了）

著書：『税金配分会計』（中央経済社，1973年）
　　　『連結納税申告書論』（中央経済社，1978年）
　　　『アメリカ税務会計論』（中央経済社，1989年）
　　　『税効果会計詳解』（中央経済社，1999年）
　　　『財務会計・税法関係論』（同文舘，2000年）
　　　『法人税法における連結納税制度の課題』（桃山学院大学総合研究所研究叢書，2002年）
　　　『財務会計・法人税法論文の書き方・考え方
　　　　―論文作法と文献調査―［改訂版］』（同文舘，2013年）

昭和57年2月10日　初版発行	平成14年3月30日　11訂版発行
昭和60年2月5日　改訂版発行	平成15年3月31日　12訂版発行
昭和62年3月31日　三訂版発行	平成16年3月31日　13訂版発行
平成3年3月29日　四訂版発行	平成18年3月30日　14訂版発行
平成6年3月15日　五訂版発行	平成19年5月10日　15訂版発行
平成8年1月10日　六訂版発行	平成20年3月28日　16訂版発行
平成9年3月31日　七訂版発行	平成23年2月1日　新訂版発行
平成10年3月31日　八訂版発行	平成27年3月30日　新訂第2版発行
平成11年4月30日　九訂版発行	平成29年3月30日　新訂第3版発行
平成12年12月25日　十訂版発行	

略称―税務要論（新3）

新訂・税務会計要論（第3版）

著　者　©　中　田　信　正
発行者　　　中　島　治　久

発行所　同文舘出版株式会社
東京都千代田区神田神保町1-41　〒101-0051
電話　営業(03)3294-1801　編集(03)3294-1803
振替 00100-8-42935　http://www.dobunkan.co.jp

©　N. NAKATA　　　　印刷・製本：三美印刷
Printed in Japan 2017

ISBN 978-4-495-16888-9

JCOPY〈出版者著作権管理機構委託出版物〉
本書の無断複製は著作権法上での例外を除き禁じられています．複製される場合は，そのつど事前に，出版者著作権管理機構（電話 03-3513-6969，FAX 03-3513-6979，e-mail: info@jcopy.or.jp）の許諾を得てください．